ZOSIA

z ulicy KOCIEJ

NA WIOSNĘ

W SERii:

Zosia z ulicy Kociej
Zosia z ulicy Kociej. Na tropie
Zosia z ulicy Kociej. Na wakacjach
Zosia z ulicy Kociej. Na zimę
Zosia z ulicy Kociej. Na wiosnę

W PRZYGOTOWANIU:

Zosia z ulicy Kociej. Na wycieczce

AGNIESZKA TYSZKA

ZOSIA

z ulicy KOCIEJ

NA WIOSNĘ

Ilustrowała AGATA RACZYŃSKA

NASZA KSIĘGARNIA

Dla Betty, Hrabiny, Pudlisi i Zadży –
mojej kochanej Grupy Wsparcia

1. MUFFIN, SKISZOPA i WiOSNA

Czy znacie to uczucie, kiedy czeka się na wiosnę i czeka, a ona nic, tylko stroi sobie z nas żarty? Śmieje się jak łobuziak, mrugając niebieskim okiem zza śniegowych chmur, i posyła na ziemię cieplutkie słoneczne promienie, by za chwilę zmrozić pierwsze przebiśniegi lodowatym wiatrem.

Ja osobiście mam już serdecznie dosyć zimy. Marzę, by spokojnie posiedzieć na jabłoni, napisać to i owo i nie

nosić grubej kurtki, ocieplanych spodni ani rękawiczek. Niezbyt wygodnie włazi się na drzewo w takim stroju. O pisaniu w rękawiczkach już nie wspomnę. Nie żeby nie dało się tego zrobić. Praktykuję to od kilku miesięcy, ale tęsknię za odmianą.

Poza tym... Wiecie zapewne, że do niektórych czynności potrzebna jest samotność. Na przykład bardzo się przydaje do pisania. Dotąd najczęściej przeszkadzała mi Mania, moja młodsza siostra. A teraz doszedł jeszcze Muffin – kot, którego dostałyśmy od Mrocznej Pampiry, wychowawczyni naszej klasy, tuż przed Wigilią.

Wygląda na to, że uważa jabłoń za swoją prywatną własność. Ile razy próbuję się tu zakraść, on już siedzi na MOJEJ ulubionej gałęzi. Żeby tylko na tym się kończyło, ale gdzie tam! Niby drzewo jest dość duże i moglibyśmy oboje znakomicie się na

nim pomieścić, jednak Muffinowi najwyraźniej przeszka-
dza moja obecność! Nie chce się przesunąć nawet o mili-
metr, fuka, prycha i ma mi za złe, kiedy mu spokojnie
tłumaczę, że gałąź obok też jest dobra do siedzenia.

Najgorzej jest wtedy, gdy pod
drzewem kręci się Mania. Tak jak teraz.
Teoretycznie uczy pluszaka Fryderyka
Szopena Pracza jazdy na jednej narcie,
ale w rzeczywistości pilnie obserwuje
przebieg negocjacji na jabłoni.

– Zosia! To nic nie da! Musisz napisać mejla! – radzi dobrotliwie, po-
chylając się nad czymś, co nazywa
SKISZOPĄ, czyli nartą szopa.

Okropnie mnie to złości. Ja się nie wtrącam w jej prze-dziwny sport zimowy i nie wygłaszam żadnych uwag. A mogłabym, bo ta cała narta to zwykły kawałek deski. Sterczą z niego drzazgi i tylko patrzeć, jak któraś wbije się wybitnemu narciarzowi Fryderykowi w jego futrza-sty tyłek.

– Jakiego znowu mejla? I niby do kogo? – pytam niezbyt uprzejmie.

– No, do Muffina, OCZEWIŚCIE! Jak go uprzejmie poprosisz, to on wtedy na pewno ZA-ARAGUJE. Tata mówił, że to dobry sposób...

– Akurat! Tata miał na myśli swojego szefa, a nie kota!

– A właśnie że nie! – upiera się dzieciak, a wtedy ja przypominam sobie, że szef taty, słynny psycholog i au-tor wielu poradników, nazywa się Stanisław Kott.

Z Manią się tak łatwo nie wygra... Nie kontynuuję więc tej słownej potyczki, tylko z godnością zwracam się do Muffina:

– No proszę cię, przesuń się odrobinę. To jest MOJA gałąź!

Kot posyła mi pełne irytacji spoj-rzenie i macha łapą lekceważąco, tak jakby chciał powiedzieć, żebym dała sobie spokój.

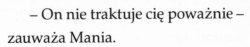

– On nie traktuje cię poważnie – zauważa Mania.

– Czy możesz zająć się narciarstwem? – pytam w miarę spokojnie.

– A nie mogę zajmować się KOCIARSTWEM? – pada natychmiastowa odpowiedź.

– Jak naprawdę chcesz mi pomóc, to coś zrób, zamiast tylko gadać – mówię i zaraz tego żałuję.

Mania z radością porzuca swego szopa razem z drzazgami i pędzi w stronę domu.

Po chwili wraca z porcją kociej karmy, szpulą dratwy oraz wielką igłą z zestawu do haftowania, który dostałyśmy kiedyś od Maliny (hafciarstwo jakoś nie stało się naszą pasją).

– Będziesz przyszywać kota do gałęzi? – pytam z niepokojem, bo po Mani, jak wiecie, można się spodziewać naprawdę wszystkiego.

– Nie! To by było NIEIGIENICZNE! – stwierdza dzieciak. – Zrobimy mu koraliki z tuńczyka! – Mania uśmiecha się, dumna z pomysłu.

– Oszalałaś!

Patrzę na nią z przerażeniem.

– Ani trochę! Zobaczysz, jak się Muffin SCHĘCI!

– Ale na co on ma się SCHĘCIĆ? – Dalej niczego nie rozumiem.

– Na inną gałąź. Chyba o to ci właśnie chodzi, no nie?

Mania puszcza do mnie oko, a zaintrygowany Muffin zaczyna węszyć w powietrzu. Och! Gdyby tak poszedł za głosem nosa (bo w sumie głos nosa bywa czasem tak samo ważny jak głos serca, a może i ważniejszy, nie sądzicie?) – miałabym szanse na odzyskanie miejscówki…

Mania wcale nie żartuje. Naprawdę udaje jej się zaczepić niektóre kawałki karmy na grubej nitce (większość, niestety, spada na ziemię).

– Korale gotowe!

– oznajmia z dumą i podaje mi kocią biżuterię śmierdzącą rybą.

Biorę to cudo z odrazą (co za szczęście, że jednak mam rękawiczki!) i celnym ruchem ciskam na spory konar drzewa. Moim zdaniem to mógłby być idealny punkt obserwacyjny dla Muffina.

On jest jednak innego zdania. Patrzy na mnie jak na wariatkę, a potem fuka i z godnością od-

wraca się tyłem. Nie muszę dodawać, że
nie rusza się ze strategicznego miejsca
nawet na centymetr!

– Ten kot jest prawie tak samo
uparty jak ja! – cieszy się Mania,
jakby było z czego. – Chyba jednak
musisz napisać tego mejla – dodaje,
a potem chwyta Szopena Pracza oraz jego
SKISZOPĘ. – Chodź, panie Fryderyku – mówi. – Zbudujemy dla ciebie skocznię narciarską.

– Najlepiej użyj do tego kociej karmy – mruczę pod
nosem i moszczę się na niewygodnej gałęzi.

No trudno! Może Muffin kiedyś się znudzi i będę mogła zająć dawne miejsce.

Tymczasem muszę koniecznie opowiedzieć wam, co
nowego słychać na Kociej. No i w całej okolicy, rzecz jasna.

Z wiosną, jak już wspominałam, jest w tym roku ciężko. Nawet ciotka Malina (siostra mamy) powoli zaczyna
tracić nadzieję oraz przestaje okazywać wrodzony opty-
mizm…

– Wiesz, Zosiu… Ja już naprawdę mam dosyć tej długiej
zimy… To takie przygnębiające… – powiedziała wczoraj
przez telefon. – I tak pomyślałam… Może by ją jakoś odczarować?

– Odczarować… – powtórzyłam w zadumie.

– Właśnie... Co ty na to, żeby utopić Marzannę? – zaproponowała ciotka.

– Ale to się robi w pierwszy dzień wiosny – zauważyłam. – I my już ją topiliśmy...

– My też! Ale jeśli to za mało? Wiesz, do trzech razy sztuka... Gdybyśmy wspólnie zrobili jakąś superkukłę, to może wreszcie by się udało? A do tego, wyobraź sobie: wiosenny piknik w ogrodzie...

Malina najwyraźniej się rozmarzyła, więc z dużą przykrością musiałam ją sprowadzić na ziemię. Jakoś słabo widziałam ten wiosenny piknik.

– Ale ciociu... U nas w ogrodzie w niektórych miejscach ciągle jeszcze leży śnieg... A tam, gdzie go już nie ma, jest raczej błotniście...

(Tutaj, muszę przyznać, wyraziłam się dosyć delikatnie. Pewne zakątki ogrodu wyglądają tak, że moja mama, Alina, dostaje na ich widok palpitacji.

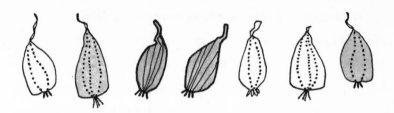

– Na litość boską! – Łapie się za głowę. – Przecież na dnie tego zbiornika wodnego są moje cebulki krokusów!

– Może to będą krokusy wodne – pociesza ją Mania, ale mamie nie jest wcale do śmiechu. Boi się, że biedne rośliny zupełnie zgniją, zanim woda opadnie).

– I nic nie kwitnie? – zapytała z nadzieją ciotka.

– No, jeden przebiśnieg… Ten pod brzozą, wiesz… Ale trudno do niego dojść, bo topniejący śnieg utworzył wielką kałużę. Właściwie nawet jezioro… Mania nazwała je Jeziorem Fryderyka i szop pływa po nim na tej swojej dziwacznej narcie. Tym razem wodnej – dodaję z przekąsem.

– A! Czyli jednak są jakieś szanse! – Malina pozostała niezrażona. – Daj no mi, Zosiu, Alinę – poprosiła znacznie raźniejszym tonem. – Zaraz obgadam z nią szczegóły.

Szczegóły zostały obgadane z pozytywnym dla Maliny skutkiem, a wszystko dlatego, że ciotka wykazała się nie lada sprytem. Wykorzystała fakt, że zbliża się dwunasta rocznica ślubu moich rodziców, i zaproponowała im romantyczny weekend w malutkim SPA, które prowadzi jej koleżanka.

– Wiesz, Lucjuszu… – powiedziała mama podczas kolacji. – Ten wyjazd do SPA to naprawdę miły gest ze strony Maliny, nie sądzisz?

– O, tak! – zgodził się tata.

– OCZEWIŚCIE! – przytaknęła ochoczo Mania.

Ja powstrzymałam się od komentarzy. Nie dlatego, że nie lubię, kiedy w domu rządzi ciotka. Jak wiecie – nie ma nic przyjemniejszego na świecie. Przyznam się jednak w tajemnicy, dlaczego podchodzę do tematu z rezerwą – nie bardzo lubię topić Marzannę… A zwłaszcza dwa razy w jednym sezonie. Podejrzewam, że ona też za tym nie przepada i wszystko może się jeszcze dla nas źle skończyć…

W każdym razie dzisiaj właśnie jest ten dzień, kiedy powinna się pojawić Malina. Jak zwykle będzie w asyście Misia, Krzysia i Rufusa. Nie mam pojęcia, co ta trójka sądzi na temat Marzanny...

Wiem za to doskonale, co o tym myśli moja siostra. Wczoraj wieczorem zdradziłam jej, jakie plany strategiczne ma ciotka.

– Co? Znowu będziemy topić tę MARZENĘ?! – zdumiała się Mania.

– Marzannę! – poprawiłam odruchowo.

– No właśnie tak mówię! Mogłabyś już przestać mnie poprawiać, bo naprawdę jestem duża. A niedługo będę jeszcze większa. Pamiętasz?

Kiwnęłam głową w odpowiedzi. Urodziny Mani zbliżają się wielkimi krokami. Dzieciak już obwieścił, że zamierza zaprosić do domu całe przedszkole. Mam nadzieję, że był to skrót myślowy i chodziło jedynie o jej grupę.

To i tak jakieś piętnaście osób… czy może raczej osobników (w większości dość narwanych, z tego, co czasem widzę i słyszę).

– Pamiętasz, Zosia? – zniecierpliwiła się Mania.

– No jasne, że tak. Ale najpierw musimy utopić Marzannę. I do tego będzie jeszcze piknik w ogrodzie – wytłumaczyłam.

– Ja nie rozumiem. – Mania wzruszyła ramionami. – Jak ja bym była tą MARZENĄ, to nieźle bym się wściekła. Bo to jest przecież NIEKOLOGICZNE.

– Ale co jest nieekologiczne?

– No, ta biedna MARZENA. Niby robi się ją z różnych śmieci i resztek, ale potem… To wszystko zamienia się w zanieczyszczenie wodne!

Spojrzałam na moją siostrę i sama nie wiedziałam, czy śmiać się, czy płakać. Jedno jest pewne – u Mani obok wysokiej higieniczności, zaszczepionej przez naszą matkę (zwaną, jak pamiętacie, NIH – czyli Najwyższą Izbą Higieny), pojawiła się także wysoka ekologiczność. O tę ostatnią zadbała (bardzo skutecznie, jak widać) pani przedszkolanka.

– W sumie… – zaczęłam niepewnie – może i masz rację… Ale jest na to sposób… Gdybyśmy zrobili kukłę z papieru, słomy i gałązek, można by ją podpalić tuż przed utopieniem. A wtedy aż tak bardzo nie zanieczyści wody.

– Pomówię o tym z panem Fryderykiem Ekoszopem – poważnie oznajmiła moja siostra. – W końcu to właśnie on pomaga mi SZEREGOWAĆ śmieci w pokoju.

Nie mam pojęcia, czy ekolog Fryderyk zaakceptował pomysł z podpaleniem Marzanny. To zapewne już wkrótce się okaże. Powinnam na wszelki wypadek zgromadzić trochę starych gazet. I może jakąś kolorową bibułę? Odkąd segregujemy śmieci, trzeba się naprawdę dobrze postarać, by znaleźć w domu odrobinę zbędnej makulatury.

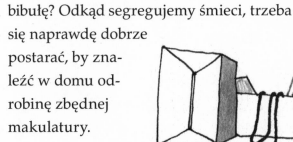

Niechętnie zeskakuję z drzewa, a Muffin natychmiast idzie w moje ślady. Jeszcze wam nie wspomniałam, że ten kot zachowuje się zupełnie jak… pies! Chodzi przy nodze, trzyma się domu i ogrodu. Nie składa wizyt sąsiadom i nie znika na kilka dni, jak mają w zwyczaju przedstawiciele jego gatunku (tak przynajmniej słyszałam).

Muffin ma psią osobowość – to słowa mojego taty, psychologa Lucjusza Wierzbowskiego. Twierdzi on, że niedługo trzeba będzie temu kotu kupić budę, żeby mógł do końca wczuć się w rolę. Bo Muffin siedzący przy furtce wygląda dokładnie jak wiejski burek pilnujący swego obejścia.

Czasem próbuje nawet szczekać po kociemu. Wychodzi mu z tego bardzo dziwny świdrujący dźwięk. Daleki od miauknięcia, możecie mi wierzyć.

Na widok takich zachowań Muffina wszyscy nasi KUWE-CIARZE nieco zgłupieli. Na początku jego pobytu przy Kociej 5 zmniejszyło się znacznie obłożenie kuwety pod krzaczorem. To znaczy – klientów wyraźnie ubyło. Podejrzewam, że musieli się upewnić, czy przypadkiem nie robi się ich tutaj w balona. Kiedy jednak okazało się, że Muffin na pewno nie jest psem, wszystko wróciło do normy.

Malina wpadła nawet na pomysł, że nasz kot powinien zostać kimś w rodzaju babci klozetowej i pobierać opłaty za korzystanie z toalety.

– A czym mieliby nam płacić? – zapytała podejrzliwie Alina.

– Zdechłymi myszami, OCZEWIŚCIE! Pomyślcie tylko, taki Muffin KLOZECIARZ! – rozmarzyła się Mania.

– Nie nadążylibyśmy z pogrzebami – zauważyłam nie bez racji.

Wiecie przecież, że KUWECIARZY jest tu bez liku. Gdyby każdy z nich zostawił jedną mysz... Strach pomyśleć! Nie można by zrobić kroku, żeby w jakąś nie wdepnąć! Fuj!

– Moglibyście otworzyć mały biznesik: usługi pogrzebowe – zaproponowała Malina, chichocząc.

– Usługi pogrzebowe tanie i zdrowe!

– z zachwytem podchwyciła Mania, a Alina zgromiła ją natychmiast wzrokiem.

Jeśli o mnie chodzi – jeden mysi pogrzeb w zupełności wystarczy. A jak pamiętacie, tę uroczystość mamy już na szczęście za sobą. Zdecydowanie wolę topienie Marzanny niż pochówki zmarłych gryzoni.

W całym domu nie ma ani jednej gazety. Nawet pojemnik na makulaturę świeci pustkami. Śmieciarze dopiero co go opróżnili. Jeśli Malina nie zabierze ze sobą jakichś ekomateriałów, biedna Marzanna nie spełni rygorystycznych norm Mani.

Właśnie przekopuję piwnicę, gdy rozlega się dzwonek.

„Ciotka jakoś wcześnie przyjechała" – myślę, biegnąc po schodkach. Ale wyobraźcie sobie, że to Iga. Moja szkolna koleżanka, która mieszka po sąsiedzku. Stoi przed furtką razem z ujadającym Klopsem. On najwyraźniej nie ma żadnych wątpliwości co do KOTOWATOŚCI naszego Muffina – pręży się, pokazuje zęby i szykuje się do skoku. Muffin grzecz-nie stoi przy nodze i wydaje z siebie te przedziwne kocie szczeknięcia (o ile w ogóle można tak powiedzieć).

Normalny kot by umknął – w krzaki albo na drzewo. Na pewno nie na dach garażu, bo tam wyleguje się jak zwykle Zdaszek. Stały bywalec przy Kociej 5, ale zachowujący pełną anonimowość. Niby jest tu zawsze, lecz z jakiejś przyczyny nie chce być zauważany. Nawet go rozumiem. To jest zachowanie kocie w stu procentach.

Zdaszek obserwuje z góry (widzę kątem oka, że podnosi łebek, przerwawszy swoją standardową drzemkę), jak Muffin (z kamiennym pyskiem) polemizuje z Klopsem.

Ciekawe, co sobie myśli? Może w duchu bije brawo odważnemu koledze? Kto wie?

– Cześć! – Iga próbuje przekrzyczeć swojego psa. – Mam coś dla ciebie! – Macha w moim kierunku jakąś kartką.

– Czyżbyś roznosiła ulotki? – pytam, zbliżając się do furtki. – Chętnie bym cię wpuściła, ale te zwierzaki chyba za sobą nie przepadają… – mówię.

– Ja i tak muszę zaraz wrócić. Tata jedzie z Klopsem do weterynarza na szczepienie – wyjaśnia Iga.

– To może wpadnij do nas po południu? Mamy dzisiaj ambitne plany. Ciotka Malina w akcji. – Uśmiecham się zachęcająco. Z Igą będzie jeszcze fajniej, nie sądzicie?

– No dobra! Coś przynieść? – Koleżanka podaje mi kartkę i odciąga psa na bezpieczniejszą odległość.

Wprawdzie dzieli nas ogrodzenie, ale Klops wygląda tak, jakby chciał je przegryźć jednym kłapnięciem zębatej paszczy.

– Trochę starych gazet, jeśli masz jakieś – mówię i zerkam na papier, który mi podała. Jest to informacja o konkursie organizowanym przez naszą bibliotekę. – *Literacko-fotograficzna wiosna w Łomiankach* – czytam głośno.

– Superzabawa! – oznajmia Iga. – Mogłybyśmy spróbować.

– Spróbować czego? – Mania materializuje się tuż obok, co skłania Klopsa do chwilowego zawieszenia broni.

Ten pies z jakichś przyczyn lubi moją siostrę. Jest tak od niedawna i nikt nie wie, na czym polega fenomen uczucia, którym pewnego dnia zwierzak obdarzył dzieciaka. Na widok Mani szczerzy zęby w uśmiechu i wesoło merda ogonem. Muffin natychmiast reaguje empatycznie i dałabym głowę, że też próbuje wprawić swój ogon w wesoły taniec. Klopsowi wychodzi to o wiele lepiej. Jak to się mówi? Ćwiczenie czyni mistrza? Chyba tak. Muszę wytłumaczyć Muffinowi, że powinien trenować merdanie przed lustrem, kiedy nikt go nie widzi. Na pewno po jakimś czasie uzyska zadowalające efekty.

– A co to za kartka? – docieka Mania jak to ona.

– Konkurs literacko-fotograficzny organizowany przez naszą bibliotekę. Z okazji wiosny – wyjaśniam.

– O! – Mała się cieszy. – To coś dla nas! Święty Mikołaj podarował nam przecież aparaty na Gwiazdkę!

Faktycznie. Dostałyśmy je pod choinkę od dziadka i jakoś do tej pory nie udało nam się zbyt często z nich korzystać. Nie licząc tych mono- tonnych portretów szopa Fryderyka, jakie wykonała Mania, nudząc się podczas ostatniego przeziębienia. Ja sfotografo- wałam tylko zimowy ogród z rekordową ilością śniegu na okrągłym metalowym

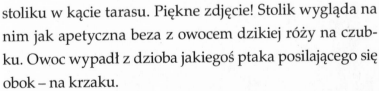

stoliku w kącie tarasu. Piękne zdjęcie! Stolik wygląda na nim jak apetyczna beza z owocem dzikiej róży na czub- ku. Owoc wypadł z dzioba jakiegoś ptaka posilającego się obok – na krzaku.

– Jest też kategoria dla młodszych uczestników – wtrą- ca Iga, której nareszcie nie zagłusza Klops. Pies przestał się uśmiechać i drapie pazurami w trawniku przy ulicy.

– I co trzeba zrobić? – pyta Mania.

Spoglądam na kartkę z informacją.

– „Znajdź wiosnę w Łomiankach i zatrzymaj ją na fotografii" – czytam. – To jest zadanie dla najmłodszych uczestników – dodaję.

– A dla nie najmłodszych? – chce wiedzieć moja siostra.

– „Zaproś ulubionego bohatera literackiego na spacer. Pokaż mu wiosnę w Łomiankach i opisz wasze przygody. Do tekstu dołącz fotografie".

– To ja wolę być nie najmłodsza! – oświadcza Mania.

– Ale jesteś najmłodsza! – protestujemy chórem.

– Nieprawda! Babcia Zelmer powiedziała, że człowiek ma tyle lat, na ile się czuje!

– Czyli ile masz? – pytam.

– A ile trzeba mieć?

– Do sześciu lat jest kategoria najmłodszych, potem mamy zadanie dla starszych – tłumaczę spokojnie, bo widzę, że dzieciak nieźle się wkurzył. A niech sobie ma tyle lat, ile chce!

– To ja mam osiem!

– decyduje Mania po chwili namysłu. – I będę opisywać przygody mojego literackiego bohatera Fryderyka Szopena Pracza! Wiosną w Łomiankach, Łomianeczkach! A to zadanie dla małych jest nudne jak kocia karma z olejem!

Iga chce coś powiedzieć, ale mrugam do niej porozumiewawczo.

– I nie mrugaj, Zosia! – Mania jest bardzo spostrzegawcza.

– Tylko… Jest tylko jeden mały problem… – Iga najwyraźniej lekceważy moje ostrzeżenie.

– A jaki? – Mania ma naburmuszoną minę.

– Twój Fryderyk Szopen Pracz nie jest bohaterem literackim!

– No to nim zostanie, OCZEWIŚCIE!

– Hraumiau! – włącza się do dyskusji Muffin, na co Klops przerywa swoje dzierganie pazurem w trawniku i przystępuje do zajadłego ujadania. Nasza dyskusja wygląda na zakończoną.

2. GRZEKOTNIK

Malina pojawia się wkrótce po tym, jak Iga znika za zakrętem. Całe szczęście, że biedny Klops nie musi się konfrontować z ROSOŁEM. Podejrzewam, że dostałby od tego potężnej chrypy.

– Tadam!

– Ciotka wkracza na teren naszej posesji tanecznym krokiem, machając jakimś zielonym materiałem.

– A co to takiego? – dziwi się Alina.

– Jedwabny szal z okazji jedwabnej rocznicy. Dwunasta rocznica ślubu nosi właśnie taką nazwę – wyjaśnia dumna z siebie Malina. – Prawda, synku?

– Prawda – mruczy pod nosem Misio.

Na pewno domyślacie się, skąd zaczerpnął te informacje. Zakład, że chodzi o

Trzysta trzydzieści trzy
ZWYCZAJE ŚLUBNE?

– I ja teraz was owinę, o tak! I zaśpiewamy wam *Sto lat*!

Malina sprytnie oplątuje szal wokół naszych rodziców, a Mania, ja i Krzysio bijemy brawo. Nawet Rufus przy-łącza się do nas, głośno szczekając. Tylko Misio stoi z boku, z książką pod pachą. Zerkam dyskretnie na tytuł. *Trzysta trzydzieści trzy wiosenne obrzędy*. Brzmi bardzo intrygu-jąco, nie sądzicie?

Ciekawe, czy Marzannę da się topić aż na tyle sposobów.

– Malina! Ty wariatko! – Mama chichocze, próbując wyplątać się z delikatnego jedwabiu. – Jest naprawdę piękny! – zachwyca się, gładząc materiał.

– Będzie na wiosnę jak znalazł! – zachwala ciotka.

– O tak! I na lato! – odzywa się tata. – Ja zrobię sobie z niego twarzowy turban!

– O nie, mój drogi! – protestuje Malina. – To jest szal typowo damski. Dla ciebie mam coś innego!

Po chwili Lucjusz Wierzbowski ma na szyi błękitną jedwabną muchę.

– Bardzo elegancka! – chwali mama, przyglądając się swemu mężowi ze wszystkich stron.

– I teraz znowu się w sobie zakochają, OCZEWIŚCIE! – oznajmia Mania i prawie wszyscy wybuchają śmiechem. Nie muszę wam chyba mówić, kto się nie śmieje ani trochę…

– No to teraz jesteście już wystrojeni. Że się tak wyrażę: spowici w jedwabie – stwierdza Malina. Wygląda na dumną z siebie i bardzo zadowoloną, bo ona najbardziej na świecie lubi robić niespodzianki. I ta jej się udała. Naprawdę.

Rodzice pakują się do naszego samochodu i odjeżdżają żegnani nawet przez Rufusa i Muffina. Można zaryzykować odważne stwierdzenie, że obydwa zwierzaki szczekają na pożegnanie... I to nawet dość zgodnym chórem.

– I co teraz? – pyta Mania, gdy samochód znika za zakrętem.

– Powitanie wiosny – oznajmia pogodnie ciotka i jakby na zawołanie zaczyna sypać bardzo drobny śnieg. Taki cukier puder.

– Ha! – wykrzykuje złowieszczo Misio. – A nie mówiłem?

– Nie mówiłeś! Kompletnie nic! – zapewnia go Mania.

– A właśnie że tak! Mówiłem, że NIE CHCEM tego głupiego topienia i całej reszty!

– MARZENA ci się nie podoba, co? – docieka Mania, kierując się niezłomną logiką.

– Jaka znowu Marzena? – burczy Misio.

– Topiona – tłumaczy moja siostra.

– Ty jesteś naprawdę głupia! – Kuzyn nadyma policzki ze złości.

– Misiu! Bądź dżentelmenem! – upomina go matka.

– On nie jest ŻENTELMENEM, tylko wściekłym chomiczkiem! – Mania nabiera powietrza i prezentuje minę do złudzenia przypominającą tę, którą ma teraz Misio.

– Nie przezywaj się! – złości się chłopak.

– Ciii – mówi nagle Krzysio i kładzie palec na ustach.

Jest to tak zaskakujące, że wszyscy milkniemy jak na komendę. Nawet Muffin z Rosołem słuchają malca.

– Ciii... Śniezek sumi

– szepcze przejęty chłopiec.

I wiecie co? Rzeczywiście! Gdy się wsłuchujemy w ciszę z całych sił, dobiega nas nagle śniegowa melodia. Ten cukier puder, o którym wam wspomniałam, zrobił się jakby bardziej cukrem kryształem i jego drobinki uderzają o twardą ziemię, metalowy daszek garażu, chodnik i schodki. To naprawdę magiczny dźwięk, taki szemrzący, opowiadający tajemnicze historie i kołyszący do snu. Dobry na miły zimowy wieczór pod pledem, a nie na topienie Marzanny i wiosenny piknik w ogrodzie. Stoimy wszyscy zasłuchani, a Rufus zaczyna cichutko wyć. Zupełnie jakby śpiewał.

Do Maliny chyba w końcu dociera, że imprezę trzeba odłożyć do jutra i gdy już przypominamy cukrowo-śniegowe bałwany, daje dobry przykład i pierwsza rusza w kierunku drzwi.

Kiedy na Kocią 5 wpada Iga z wielką torbą, wszyscy siedzimy w jadalni i wcinamy

naleśniki z dżemem morelowym. Autorstwa babci Zelmer, rzecz jasna.

– Co tam masz? – pyta Mania prosto z mostu.

– Rzeczy potrzebne do zrobienia Marzanny – odpowiada moja przyjaciółka, a Misio fuka pogardliwie znad talerza.

– Dzisiaj lepsze byłyby chyba jednak składniki na świąteczne pierniczki – mówię, spoglądając wymownie za okno.

Nic kompletnie nie widać, ponieważ świat spowija gęsta zadymka. Nie uwierzylibyście, że tak może padać wiosną!

– Oj, tak… – Malina kiwa głową ze smutkiem. – A co konkretnie przyniosłaś, Igo?

Iga wyjmuje plik starych czasopism, bibułę i kolorowe sznurki. Malina spogląda na ten zestaw w zadumie. Żal mi jej. Naprawdę. Jest taka nieszczęśliwa…

 – Ciociu... Może na razie zrobimy sobie wiosenne kolaże? – proponuję nieśmiało. – Jutro pogoda na pewno się poprawi, zobaczysz...

– A wiesz, Zosiu? To nawet niezły pomysł! – Malina ożywia się nieco i otwiera pierwszą z brzegu gazetę.

– Zebla! – cieszy się Krzysio na widok pasiastego zwierzaka.

– To będzie zebra wiosenna – zaznacza ciotka. – Poszukamy tylko jakiegoś stosownego dodatku – mówi, przerzucając kolejne kartki.

– A słyszała już pani o naszym konkursie? – pyta Iga.

Jakoś zupełnie zapomniałam, by powiedzieć o tym ciotce. Ale ze mnie gapa! Przecież taka piękna akcja artystyczna to coś, co Maliny lubią najbardziej... Lecę więc szybko do pokoju po ulotkę, a Iga w tym czasie streszcza pokrótce ideę konkursu.

– Super! – Ciotka odzyskuje typową dla siebie werwę oraz entuzjazm. – Jak tylko przestanie padać, ruszamy w plener. Co za szczęście, że zabrałam aparat.

– Ale ja nie zabrałem swojego! – obwieszcza Misio grobowym głosem.

– Pożyczę ci – proponuje Mania szczodrze, a jemu robi się chyba trochę głupio.

Pamiętacie, że ostatnio nie był dla mojej siostry zbyt uprzejmy. Przedostatnio zresztą także…

– Dziękuję – mamrocze więc pod nosem, tak że ledwo go słychać.

– Ale to OCZEWIŚCIE żaden problem

– oświadcza Mania, cytując zasłyszany gdzieś tekst.

Potem zgodnie zasiadamy za stołem, a zamiast naleśników i dżemu pojawiają się kartki, klej i gazety. Rufus z lubością przeżuwa ścinki, które spadły na podłogę. Nie wiem, czy kiedykolwiek wam o tym wspominałam, ale papier jest od lat jego największym przysmakiem. Nikt nie ma pojęcia dlaczego. Nawet Malina.

– Myślałyście już, z jakim bohaterem literackim będziecie spacerować po Łomiankach? – pyta ciotka.

– OCZEWIŚCIE! – woła Mania, nie dając mnie ani Idze dojść do głosu. – Z panem Fryderykiem Szopenem Praczem!

– O! – Malina uśmiecha się z zachwytem.

– Będziemy mieć razem mnóstwo wiosennych przygód! – zapewnia dzieciak, naklejając na dorodną jodłę wielkanocne jajka wycięte z gazety.

– Ja myślałam o Mai. Z przygód Lassego i Mai, wiecie – odzywa się Iga.

– A ja o Lassem, wyobraź sobie! – oświadcza niespodziewanie Misio.

– To może połączycie siły? – sugeruje Malina. – W końcu Lasse i Maja współpracują ze sobą. Prowadzą przecież jedno biuro detektywistyczne.

Iga i Misio spoglądają na siebie w milczeniu.

– No nie wiem – odzywają się jednocześnie z wahaniem, a Malina, Mania i ja wybuchamy śmiechem.

Krzysio mozoli się nad wycinaniem wielkiego czerwonego kabrioletu i zupełnie nie zwraca uwagi na reakcje otoczenia.

Misio się czerwieni, a Iga pociera policzek, jak zawsze, kiedy czuje się trochę niepewnie. Znam ją dobrze i wiem, że nie bardzo ma ochotę na współpracę z moim kuzynem. Obie uważamy go za osobnika wybitnie męczącego. Ale pewnie głupio jej odmówić Malinie, bo ją akurat bardzo lubi.

Ciotka szybko się orientuje, że strzeliła gafę, więc obraca wszystko w żart.

– Może to nawet i lepiej, że Lasse i Maja się rozdzielą i trochę od siebie odpoczną, nie sądzicie?

Iga i Misio kiwają głowami. Każde znad swojego wiosennego kolażu.

– A ty, Zosiu? – Spojrzenie ciotki kieruje się w moją stronę. – Coś już wymyśliłaś?

Prawdę mówiąc, nie miałam czasu porządnie się zastanowić. Do głowy przychodzi mi tylko jedna postać – Pippi oczywiście! Ale czy jej podobałaby się taka zimowa wiosna w Łomiankach? I same Łomianki? Czy przypadłyby jej do gustu?

– Może Pippi – mówię więc bez większego przekonania, bo czuję, że będzie to bardzo trudne zadanie.

– Świetny pomysł! – gratuluje mi Malina, a potem przez chwilę przygląda się poczynaniom młodszego potomka. Czerwony kabriolet (albo właściwie jego fragment, czyli to, co zostało niezbyt fachowo wycięte) jest właśnie hojnie smarowany białym klejem. – A jaką książeczkę ty lubisz najbardziej, synku? – zwraca się do chłopca.

– *Sinka Chlum* – oświadcza malec, nie odrywając wzroku od swojego dzieła.

– Przygody świnki pasują! – Mania aż klaszcze z uciechy. – W Łomiankach jest dużo błota, chrum, chrum! Skończyłam! Kolaż wiosenny! – dodaje, prezentując z dumą swoje dzieło.

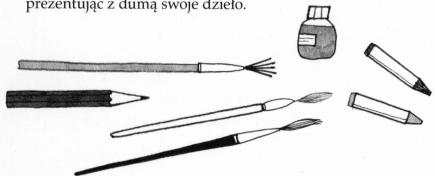

– A co to ma wspólnego z wiosną? – Misio, jak widzicie, za nic nie może się powstrzymać od tych swoich komentarzy.

– Jak to co? Przecież widać! To jest najbardziej wiosenna choinka na świecie. Wielkanocna i JAJECZNA – tłumaczy Mania.

– A! Na drzwiach biblioteki wisi plakat w tej sprawie – przypomina sobie nagle Iga.

– W sprawie JAJECZNEJ? To w bibliotece już o tym słyszeli? – dziwi się Mania.

– Na pewno! – prycha Misio.

On chyba ma zły dzień, naprawdę.

– Nie! – Iga się śmieje i kręci głową. – Będą zajęcia z malowania strusich jaj!

– Ale! Wiecie, jakie one są wielkie?! – mówi z zachwytem kuzyn.

Pierwszy raz od przyjazdu coś mu się wreszcie spodobało.

– A kiedy to będzie? – dopytuje się Malina z zainteresowaniem.

– Oj, nie pamiętam. Ale można sprawdzić
na stronie – mówi moja przyjaciółka.

Komputer taty jest w pobliżu, więc
postanawiamy poszukać informacji
w internecie. I właśnie wtedy gdy
wszyscy w napięciu czekają na strusie wieści,
z ogrodu dobiega bardzo dziwny dźwięk.

Jest już zupełnie ciemno, a w świetle
ulicznej latarni widać, że śnieg
przestał padać.

– Czy to
DUCH?

– Mania robi wielkie oczy.

– Duchy wyją i zawodzą –
informuje Misio tonem
fachowca.

Niech no pomyślę…
Skąd on może czerpać
taką wiedzę teoretyczną?
Czy myślicie o tym samym co ja?
Pewnie tak!

– A to raczej grzechocze – mówi Malina, wsłuchując się intensywnie.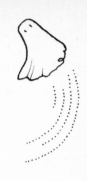

– Może pan sąsiad naprawia kosiarkę? – głośno zastanawia się Mania.

– W środku zimy? – dziwi się Misio.

– Przecież jest wiosna! – protestuje Mania.

– Ciekawe gdzie?! – prycha kuzyn.

– W kalendarzu, OCZEWIŚCIE !!!

– Ciii… – Malina kładzie palec na ustach i słyszymy, że dźwięk staje się coraz bardziej natarczywy.

ssssssssssssssssss

– To brzmi zupełnie jak

GRZECHOTNIK!

– oświadcza Misio z przejęciem
i wydaje mi się, że nieco blednie.
– Czytałem o nich niedawno...
Polują na ptaki, jaszczurki, myszy
i szczury, a atakują tylko wtedy, gdy
są bezpośrednio zagrożone albo przestra-
szone i niepewne. Jak się taki wystraszy, to bach!
Zwija ciało w spiralę!

Ku naszemu przerażeniu kuzyn jednym susem zeskakuje z krzesła i skręca się na podłodze w efektowną spiralę.

– No i dalej! Jak nie zacznie
grzechotać końcówką tego
swojego straszliwego ogona!
Ze czterdzieści

GRZECHOTNIĘĆ

na sekundę! Albo i więcej!

– BLE! – Mania się krzywi.

– A wszystko w celu odstraszenia przeciwnika… – kontynuuje Misio z podłogi. – Jeśli ten plan się nie udaje, wąż podnosi głowę i szykuje się do ataku. – Ssssss!!!

Głowa kuzyna unosi się przy akompaniamencie potwornego syku.

– Łaaaa!!! – piszczy Mania, a Krzysio chichocze.

Dla niego to jest świetna zabawa, ale my, dziewczyny, miny mamy niewyraźne. Nawet Malina, chociaż ona tylko przez chwilę.

– No już nas tak nie strasz. – Uśmiecha się do Misia. – Przecież pod tą szerokością geograficzną nie ma grzechotników.

– OCZEWIŚCIE, że są! W zoo! – zapewnia Mania tonem znawcy.

– W Łomiankach nie ma ogrodu zoologicznego – wtrącam się, a zza okna dobiega złowieszczy grzechot o wyjątkowo silnym natężeniu.

– A jak on uciekł komuś z domu? Z WĘŻARIUM? – Oczy Mani znów robią się wielkie jak spodki.

– Ludzie hodują węże, to fakt. Ale, prawdę mówiąc, nie słyszałam nigdy o żadnym udomowionym grzechotniku – uspokaja nas Malina.

– Nieprawda! Jednego pana z Opola to nawet ukąsił! – zapewnia Misio, który nie jest już spiralą, i otrzepuje gatki. Ma na nich trochę gazetowych ścinków i sierść swojego psa. Bogu dzięki, że nie są to wężowe łuski.

– I co?!!! ZAGRZEKOTAŁ GO NA ŚMIERĆ?

– pyta moja siostra z trwogą.

– Nie całkiem. W szpitalu podali temu panu surowicę i nie umarł.

– Nie mam pojęcia, skąd czerpiesz takie informacje, Misiu – mówi ciotka. – Ale... dziewczynki... Zastanówcie się spokojnie... Czy taki grzechotnik pasowałby do któregokolwiek z waszych sąsiadów?

Mania i ja spoglądamy na siebie w milczeniu.

– Na pewno nie do Penelopek. One się brzydzą – stwierdza moja siostra, mając na myśli nasze trzy sąsiadki zza płotu: Waneskę, Laurkę i Penelopkę. Na pewno je pamiętacie.

– Ani do pana Stefana i jego żony. I do właścicieli równo przystrzyżonego ogrodu także – dodaję, wykluczając ich drogą eliminacji.

– Chyba że przypełzł hen, z daleka – mówi w zadumie Mania. – O! Z tego nowego domu na końcu ulicy.

– To ktoś już tam zamieszkał? – dziwi się ciotka, bo ten dom budował się i budował. Bardzo długo to trwało.

– Chłopiec z duuuużym psem – wyjaśnia moja siostra. – Muffin nie lubi, jak koło nas spacerują, i zawsze na nich szczeka.

– Co ty nie powiesz?! – dziwi się Misio. – A nie grzechocze czasem?

– OCZEWIŚCIE, że nie! On jest PSIKOTEM! I mama rysuje o nim historię. Będzie z tego książka o naszym Muffinie!

– Phi! – Misio wzrusza ramionami.

– Ciii! – Ciotka kładzie palec na ustach, a Krzysio natychmiast powtarza gest.

Grzechotanie jest już niemal tak wyraźne, jakby to COŚ znajdowało się dosłownie na wyciągnięcie ręki!

Ciotka na paluszkach skrada się do dużego okna wychodzącego na taras i delikatnie uchyla zasłonę. Jednocześnie włącza zewnętrzne światło.

Naszym oczom ukazuje się zasypany śniegiem taras ze stolikiem i donicami przypominającymi teraz wyrośnięte baby wielkanocne posypane cukrem pudrem. Wyobraźcie sobie, że na drewnianej ławeczce siedzi wielki czarny kot i grzechocze! Naprawdę inaczej nie da się tego określić! Możecie mi wierzyć!

– Ale...! – Misio kręci głową z niedowierzaniem.

– No i masz swojego GRZEKOTNIKA! Zwykłego KUWECIARZA! – Mania tak się śmieje, że dostaje czkawki.

– Nie moja wina, że jesteśmy w Łomiankach! – odcina się kuzyn. – Tu nawet koty zachowują się nienormalnie!

– O! Wypraszam sobie! – oburzam się.

– Ja też! – Iga dołącza do mnie solidarnie.

– Misiu! Przecież cię prosiłam, żebyś był dżentelmenem! – mówi Malina z wyrzutem.

Czarny kot nagle milknie i daje susa w śniegową zaspę. Pruje przez taras niczym mały pług śnieżny. Na wysokości naszego okna zastyga na chwilę i zagrzechotawszy na pożegnanie, znika w niewidocznej części ogrodu.

– Miejmy nadzieję, że to był jakiś dobry znak – odzywa się Malina i opuszcza zasłonę.

– Znak czego? – dopytuje się Mania.

– No... na przykład wiosny... Może ten kot odtańczył tu przed nami jakiś rytualny wiosenny taniec...

– Prędzej coś odśpiewał – zauważa Misio.

– I od tego ma być wiosna? – upewnia się Mania.

– Czemu nie? – Malina odpowiada pytaniem.

– Aha! Czyli MARZENA już nie musi się topić? – Dzieciak spogląda na ciotkę w napięciu, a ona parska śmiechem.

„Dobrze by było..." – mówię sobie w duchu, ponieważ moje złe przeczucia dziwnie się nasilają. Może przez kontakt z kotem o nadprzyrodzonych zdolnościach wokalnych? Sama nie wiem... Jedno jest pewne – czuję się

 nieswojo i na poprawę nastroju oraz ogólnej sytuacji powtarzam w myślach takie ZAKLEŃSTWO:

Niech już zima prędko zmyka, razem z głosem grzechotnika.

Nie mam pojęcia, czy to cokolwiek pomoże, ale jakoś od razu robi mi się raźniej. Poza tym urządzamy wystawę kolaży – przypinamy je spinaczami na sznurze do suszenia bielizny rozwieszonym przez Malinę między przedpokojem a salonem.

Są naprawdę bardzo pomysłowe i kolorowe. No i w większości wiosenne. Założę się, że ciotka pokaże je w swojej internetowej Galerii Osobliwości.

– Ha! Najwyższa pora na wernisaż! – woła Malina, kiedy już wszystkie dzieła suszą się na sznurze, wzbudzając wielkie zainteresowanie Rufusa.

Zwierz węszy w powietrzu i zapewne żałuje, że nie może dosięgnąć apetycznego papieru, którego smak został wzmocniony aromatem kleju.

– Zrobimy sobie pamiątkowe fotografie, a potem przekąski. Jak na prawdziwym wernisażu – zapowiada Malina, krzątając się energicznie po domu.

– A nikt nie będzie przemawiał? – dziwi się Misio.

Zapewne nieraz był na podobnej imprezie. Tak to jest, gdy się ma w domu prawdziwą artystkę. Jak pamiętacie, nasza NIH także zalicza się do tego grona, ale na wernisaże chodzi bardzo rzadko, a nas w ogóle ze sobą nie zabiera. Twierdzi, że odbywają się zbyt późno, by to miało sens i pożytek. Nasz wernisaż także będzie późno. Dobrze, że mama tego nie widzi…

– No naprawdę nikt nie będzie przemawiał? – pada jeszcze raz to samo pytanie.

Malina już ma odpowiedzieć, kiedy nagle ktoś ją uprzedza.

– Hrrmiau!

– rozlega się z fotela w salonie.

– Przemówił! Nasz PSIKOTEK! – cieszy się Mania, a niezadowolony kuzyn robi jedną ze swoich trzystu trzydziestu trzech Misiowych min.

3. ŚMIERDKA
Z TUPNIĘCIEM

Możecie wierzyć lub nie, ale następny dzień naprawdę stara się być wiosenny. I to ze wszystkich sił. Po pierwsze – świeci słońce. Po drugie – wieje wiatr, a to dobrze, bo jest na tyle porywisty, żeby rozpędzać bure chmury nad naszym ogrodem i okolicą. Śnieg topnieje, a z dachu na wszystkie strony kapie woda. „Plum, plum, kaap, chlup!" – muzyka w takim mniej więcej rytmie dobiega z tarasu.

Malina zrywa się bladym świtem, wyprowadza Rufusa i oprócz śniadania (omlety! mniam!) przygotowuje, że tak się wyrażę, kręgosłup dla Marzanny. Stary kij od szczotki łączy z kawałkiem bambusa (to będą ręce). Głowa zrobiona z gazet upchniętych w pończochę nie została jeszcze zagospodarowana. Leży sobie na fotelu, pozbawiona oczu, ust i włosów. Wygląda dość upiornie… Wzdycham ciężko na myśl o tym, co nas czeka. Cóż…

Wszystkie kobiety w tej rodzinie są dość uparte i jak już raz sobie coś postanowią, to nie ma siły... Ciotka zafiksowała się na akcji artystycznej Ostateczne Pożegnanie Zimy, w czym mimo wszystko wspiera ją pierworodny. Podczas jedzenia omletów dokładnie nas informuje, o co właściwie chodzi z wiosennym topieniem kukły.

– W dawnych czasach nazywano ją Moreną, Marzaniokiem, Śmiertką... – zaczyna, ale Mania natychmiast wchodzi mu w słowo.

– Fuj! ŚMIERDKA wygląda mi bardzo NIEKOLOGICZNIE...

Czy ona już wtedy była

NIEROZKŁADALNA?

Plastikowa i trująca?

– O czym ty mówisz? – dziwi się Misio. – Śmiertka jest od śmierci, a nie od smrodu. Kukła symbolizowała wszystko, co najgorsze: zimę, choroby, śmierć. I trzeba było się jej pozbyć, żeby ludziom nie zagrażały żadne niebezpieczeństwa, a wiosna mogła bezpiecznie przyjść na ziemię.

– No ale była NIEKOLOGICZNA czy nie była? – drąży Mania z uporem.

– Wtedy świat był zdecydowanie bardziej eko niż teraz – wtrąca się Malina. – Żadnych plastików, ftalanów, trujących substancji, gumy do żucia...

– Aha... – Mania kiwa głową w zadumie.

– No i jak już się taką kukłę zrobiło, na przykład ze słomy, z gałązek i podartych szmat, wtedy trzeba było obejść okolicę, śpiewając stosowne pieśni.

– A jakie są stosowne? – Mania znowu wchodzi w szczegóły.

Misio milczy zakłopotany. Akurat z tego tematu chyba się najlepiej nie przygotował. Postanawiam przyjść mu

z pomocą. Od czego bowiem są ZAKLEŃSTWA? W chwilach jak ta mogą nawet odgrywać rolę stosownych pieśni.

– HOP DZIŚ, DZIŚ, DANA, DANA, WON, ZIMO KOCHANA! HOP DZIŚ, DZIŚ, HOPSA, HOPSA, NIECH JUŻ PRZYJDZIE WIOSNA!

– wykrzykuję głośno, a dla lepszego efektu robię to z przytupem. Widziałam kiedyś jeden zespół ludowy, który tak właśnie prezentował różne przyśpiewki.

Mania jest zachwycona.

– Zosia! Nie wiedziałam, że ty znasz pieśni! – woła. – Naucz mnie tego TUPNIĘCIA! – prosi.

– Dobrze, ale niech najpierw Misio dokończy swój wykład o Marzannie – mówię.

Kuzyn aż czerwienieje z dumy, słysząc te słowa. Jemu chyba bardzo imponują różni mądrzy profesorowie wygłaszający wykłady. Słyszałam, jak Malina opowiadała mamie, że Misio jest fanatycznym

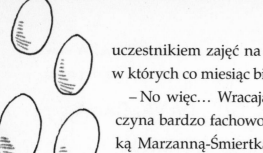

uczestnikiem zajęć na Uniwersytecie Dzieci, w których co miesiąc bierze udział jego klasa.

– No więc… Wracając do tematu… – (Zaczyna bardzo fachowo, nie sądzicie?). – Z taką Marzanną-Śmiertką chodziło się po wsi, od domu do domu, śpiewając i zbierając datki.

– Gatki?! – Mania nie posiada się ze zdumienia.

Misio nieprofesjonalnie parska śmiechem, ale szybko się opanowuje.

– DAT-KI – powtarza dobitnie. – Czyli podarunki. Najczęściej jajka i pieniądze. Jak już Marzanna odwiedziła wszystkich mieszkańców, można było opuścić wieś, dojść do rzeki albo jeziora, podpalić kukłę i wrzucić ją do wody.

– I tak też uczynimy! – Malina wtrąca swoje entuzjastyczne trzy grosze.

– I jeszcze jedno! Ważne było, żeby po utopieniu Śmiertki przynieść do domu gaik. Albo maik.

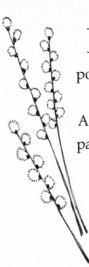

– Co przynieść? – nie rozumie Mania.

– No jakiś symbol wiosny znaleziony po drodze.

– Na przykład bazie lub stokrotkę? A może być ptasie piórko? – Mania, jak pamiętacie, lubi konkrety.

– Piórko może być. Byle należało do wiosennego ptaka – orzeka nasz specjalista od wiosennych zwyczajów, profesor Misio Sosnowski.

– To ja będę miała piórko kurczaka. Żółciutkie i puszyste – oznajmia dzieciak.

– Ale kurczak nie jest wiosennym ptakiem! – protestuje Misio.

– Jest, OCZEWIŚCIE! Można go spotkać na każdej kartce świątecznej. A ja w dodatku miałam kurczaki w przedszkolu. Jedna pani nam przyniosła całe pudełko pełne kurczaczków. Och, jakie one robią śliczne kupki! I do tego mają zimne nóżki, wiecie? Zaraz wam pokażę moje piórko, tylko wyjmę je z MOTYLEUM. Teraz jest oglądane przez AGMIRAŁA PYPKA.

Zastanawiam się właśnie, czy przy tej pogodzie uda nam się wykombinować jakikolwiek gaik czy też maik, gdy Mania wraca z piórkiem w garści.

– Aha – mówi Misio mądrym tonem i pochyla się nad żółtym skarbem. – Wygląda dość wiosennie – orzeka po chwili zastanowienia, a ja oddycham z ulgą. Wyobrażacie sobie, co by było, gdyby zdecydował inaczej?

Po tym wstępie teoretycznym zabieramy się do pracy. Na głowie Marzanny wyrasta fryzura ze sznurków, a na jej twarzy pojawia się krzywy uśmiech i nieco zezowate spojrzenie.

Do piękności to się ta dama raczej nie zalicza, mogę was zapewnić! Ciotka chce narzucić na nią swoją starą koszulę w kratkę, ale Mania zachowuje czujność.

– Czy to są sztuczne WUKNA? – pyta, dotykając materiału.

– Czysta bawełna! – zapewnia Malina poważnie.

– Czyli nie zepsuje nam atmosfery. – Mania kiwa głową zupełnie tak, jakby była drugim profesorem Misiem! Co za towarzystwo.

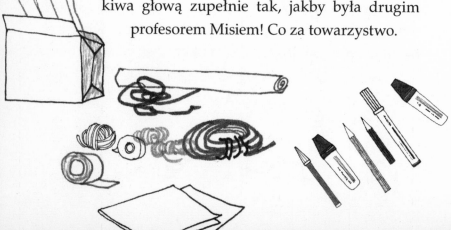

– Mamy jeszcze te gazety od Igi! –
przypominam sobie nagle i lecę
do przedpokoju. Po chwili
ze zmarszczonych płacht
papieru powstaje kolorowa
spódnica.

– Może być! – decyduje
Mania, oglądając kukłę ze
wszystkich stron.

– Nie jest wystarczająco

STRASZNA.

– Misio kręci nosem, jak
zwykle czepiając się szcze-
gółów.

– A co byś dodał? – pytam
uprzejmie.

– Naszyjnik z trupich czaszek?
Kły wampira? Sam nie wiem…

Mania biegnie do swojego pokoju
i przynosi stamtąd dużą naklejkę
z trupią czaszką. Znalazłyśmy
ją w halloweenowym wydaniu

jakiegoś pisma dla dzieci, ale do niczego nam się nie przydała. Nie jest zbyt piękna i do tego kontury ma posypane fioletowym brokatem, co kuzynowi niezbyt się podoba.

– Może być? – pyta Mania.

– Ostatecznie – z wahaniem oznajmia Misio. Naklejka umieszczona zostaje frontalnie – na brzuchu kukły. – No, teraz trochę przypomina pradawną Śmiertkę! – stwierdza Misio.

– A więc najwyższa pora wyruszyć na wieś i śpiewać stosowne pieśni – mówi Malina.

– Nie było próby GERENALNEJ z TUPNIĘCIEM! – zauważa Mania, patrząc na mnie z wyrzutem.

O rany! Zupełnie zapomniałam o swojej obietnicy.

– Próba w salonie za dziesięć minut – informuję więc dla świętego spokoju i lecę zadzwonić do Igi, żeby się szykowała do wyjścia. Niestety nikt u niej nie odbiera. Może jeszcze śpią? W końcu jest sobotni ranek.

Przytupy wychodzą nam nadzwyczaj dobrze. Krzysio piszczy z uciechy, a Muffin szybko orientuje się w sytuacji i też bierze czynny udział w naszej próbie. Na szczęście nie usiłuje śpiewać, ograniczając się jedynie do rytmicznego pacnięcia z kanapy na podłogę. I to w stosownych momentach – czyli podczas TUPNIĘCIA.

Na dworze wieje. Po słońcu zostało jedynie wspomnienie, a chmury gromadzące się na niebie naprawdę nie wróżą nic dobrego. Od czasu do czasu spada kropla deszczu. Zupełnie jakby nie mogły się zdecydować.

– Ta MARZENA się utopi, jak tylko wyniesiemy ją na dwór! – mówi Mania z satysfakcją.

– Chciałabym… – mruczę pod nosem i naciągam kaptur. Tak jest o wiele lepiej. Radzę więc Mani to samo i pomagam Krzysiowi. Kuzyn protestuje.

– Czapka mi wystarczy – informuje krótko.

Rufus oczywiście idzie z nami. Na razie jest tak podekscytowany, że kręci się wokół własnego ogona i szczeka. Wybrał sobie do tej czynności najbardziej błotnisty fragment trawnika, ale i tak dobrze, że nie przyszło mu do głowy dać nura do Jeziora Fryderyka.

– Zosia, czy on nam nie odstraszy ludności? – pyta Mania szeptem.

– Jakiej znowu ludności?!

– No tej, która nam będzie dawać jajka i pieniądze. Na wszelki wypadek wzięłam koszyk.

Rzeczywiście! Siedzi w nim Fryderyk Szopen Pracz w czapce pilotce z żółtym piórkiem wiosennego ptaka. Odlot! Naprawdę!

– To gaik. Wiosenny. A Fryderyk wysiaduje pisanki! Patrz! – mówi Mania z dumą.

Ta informacja bardzo mnie rozwesela. Nawet nie macie pojęcia, jak śmiesznie wygląda zawartość koszyka.

– Nie śmiej się! – złości się moja siostra.

– Przepraszam. Ale wiesz co? Tutaj już wiele się nie zmieści. Gdyby ktoś naprawdę chciał nam coś dać…

– A nie będzie chciał?

– Myślę, że raczej nie.

– Czemu?

– Bo to zapomniany zwyczaj, a poza tym ludzie siedzą w domach, jest okropna pogoda i założę się, że mało kto w ogóle zwróci na nas uwagę.

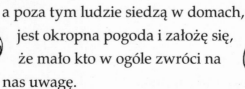

Wkrótce okazuje się, że bardzo się mylę. Na ulicy Kociej ruch jak w Warszawie na Marszałkowskiej. Jakaś kobieta spacerująca z psem woła wesoło:

– Jeśli to Marzanna, utopcie ją jak najprędzej. Niech zaraza już tutaj nie wraca!

– O to właśnie nam chodzi!

– odkrzykuje Malina z entuzjazmem.

Pan Stefan wyjeżdża ze swojego garażu i macha do nas na powitanie.

– Jeszcze jeden pierwszy dzień wiosny, co? Oj, dobrze by było, żeby wreszcie się nad nami zlitowała i przyszła. Ile można czekać, ja się pytam?

Ledwie ruszamy w kierunku Wisły, gdy na naszej drodze niespodziewanie wyrastają Penelopki.

Wyobraźcie sobie, że każda ma aparat fotograficzny!

– O! Wiosna w Łomiankach! – cieszą się na nasz widok. – Możemy wam zrobić zdjęcia?

– Czyżbyście zamierzały wziąć udział w konkursie? – pyta ciotka.

– Ja chciałam, a one papugują – oświadcza najstarsza sąsiadka.

Zauważam, że ma dziś na sobie czarny strój – jakąś powłóczystą spódnicę (w sam raz na błotniste kałuże!), szal z frędzlami i malowniczy płaszcz (trochę zbyt długi). Przewieszona przez ramię torba jest bardzo artystyczna – filcowa i pomarszczona.

Malina także dostrzega te szczegóły.

– Świetną masz torebkę! – zwraca się z podziwem do Waneski.

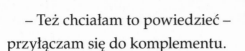

– Też chciałam to powiedzieć – przyłączam się do komplementu.

– Sama uszyła! – informuje Laurka.

Ona i Penelopka mają na sobie standardowe stroje przyszłych gwiazd estrady. Nic ciekawego. Wszystkie dziewczyny na ulicach właśnie tak wyglądają. Jakieś legginsy, kurtki, błyszczące tu i ówdzie czapki oraz szaliczki. Torebki obowiązkowo z Hello Kitty. Nie mam nic przeciwko, ale przyznam wam szczerze: Waneska się wyróżnia. I to pozytywnie. Moim zdaniem to sztuka – wyglądać inaczej niż wszyscy, po swojemu i niepowtarzalnie. Tę wspaniałą cechę posiada Malina.

– Naprawdę sama uszyłaś? – Ciotka z zachwytem dotyka filcowego zjawiska. – Ty masz talent, dziewczyno!

Kręci głową z podziwem.

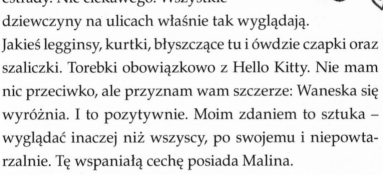

– Może powie to pani mojej mamie, bo ona się złości i powtarza, że nie potrzeba jej w domu zwykłej krawcowej – mówi Waneska gorzkim tonem.

– Tak! – potwierdzają chórem Laurka i Penelopka. – Mama się złości, bo Waneska nie chce już być gwiazdą! I nie ćwiczy jak my!

– Przecież gwiazdą można być w absolutnie każdej sytuacji i świecić swoim własnym, niepowtarzalnym blaskiem! – z przekonaniem oświadcza Malina. – Co powiecie na to, by zostać gwiazdami igły krawieckiej, aparatu fotograficznego, pierogów z jagodami i omletów, plasteliny, sznurka, ogrodowych rabatek, ołówka, gliny…

– I kukły ŚMIERDKI! – dorzuca Mania.

– I uniwersytetu – wtrąca Misio.

– A nawet błota – dodaję, pokazując Rufusa.

Znudzony przydługim postojem, wytarzał się właśnie na obrzeżach sporej kałuży. Nie wiem, jak mu się to udało, ale kakaowe błotko utworzyło idealną falbankę wokół całego psiego ciała, zatrzymując się na Rufusowych dredach. Wygląda to bardzo malowniczo. Zupełnie jak po wizycie w jakimś salonie piękności dla pań. Słyszałam, że zdarzają się tam zabiegi z użyciem leczniczego błota. Może pies Maliny uważa, że to lekarstwo? Jedno jest pewne – kontakt z łomiankowskim błotem poprawia samopoczucie. Wystarczy spojrzeć na uśmiechnięty pysk teriera, by się o tym przekonać.

Po moich słowach wszyscy wybuchają śmiechem – nawet chmurne oblicze Waneski na chwilę się rozjaśnia.

– Idziecie nad Wisłę? – pyta sąsiadka.

– Aha – odpowiada Mania.

– My nie możemy odejść od domu tak daleko, bo niedługo jedziemy na zakupy, ale kawałek was odprowadzimy. Okropnie trudno znaleźć ślady wiosny w tej okolicy. Szkoda, że konkurs nie trwa o miesiąc dłużej – wzdycha Waneska.

– Możesz sfotografować piórko wiosennego ptaka – proponuje łaskawie moja siostra i podsuwa pod nos sąsiadki koszyk z Fryderykiem. Po chwili szop jest obfotografowany z każdej strony.

– A jakich bohaterów literackich sobie wybrałyście? – pytam z ciekawością.

– Ja Hannah Montanę! – wykrzykuje Penelopka.

– A ja Koszmarnego Karolka – informuje Laurka.

– A ja detektywa Sventona – mówi Waneska.

– Naprawdę?!!! – nie posiadam się ze zdumienia, bo Ture Sventon, znany sztokholmski detektyw, to jeden z moich ulubieńców. Bardzo jest zabawny. I pomysłowy.

I tak śmiesznie sepleni. Mówi na przykład „psysie" zamiast „ptysie".

– No! Lubię go strasznie. Czytałaś o biżuterii cioci? W tej świątecznej części? – pyta Waneska z błyskiem w oku.

– Pewnie! Okropnie się denerwowałam, jak siedzieli w tym strasznym kanale. – Wzdrygam się na samo wspomnienie.

– Chcę zaprosić Sventona na wiosenne ptysie-psysie do naszej Cytrynowej – Waneska zniża głos do szeptu.

– Nie szepcze się w towarzystwie! – upomina ją Laurka.

– Ale to tajemnica zawodowa! – odcina się Waneska i mruga do mnie porozumiewawczo.

– Superpomysł! – gratuluję jej, żałując trochę, że sama na to wcześniej nie wpadłam.

Sąsiadki idą z nami kawałek, robią mnóstwo zdjęć, a potem zawracają, by szukać wiosny w pobliżu domu.

– Może wstąpimy do Igi? To przecież prawie po drodze – proponuję. Dobrze byłoby także zaprosić do zabawy Leo, moją dawną przedszkolną przyjaciółkę, która teraz mieszka na Mysiej, ale biedaczka choruje od tygodnia.

Iga wybiega nam na spotkanie, a jej rodzice podążają za nią, niosąc – nie uwierzycie – po jajku w każdej ręce.

– A widzisz! Jednak ludność się tutaj zna na ŚMIERDCE! – zauważa Mania.

Okazuje się jednak, że to czysty przypadek, a poza tym jajka są czekoladowe – akurat po jednym dla każdego z nas. Iga swoje ma już w kieszeni.

– Nie wiedziałam, że pradawny obyczaj nakazuje wręczać jajka z niespodzianką! – śmieje się ciotka, gdy ruszamy dalej w towarzystwie Igi.

– Kolędnicy dostają cukierki – zauważam.

– I WAMPIRNICY też – mówi Mania, mając zapewne na myśli październikowe święto Halloween.

– To jak my się właściwie nazywamy? – zastanawia się głośno Misio. – W książce nic nie było na ten temat.

– WIELKANOCNICY, OCZEWIŚCIE! – Mania wpada na pomysł błyskawicznie, a my wybuchamy śmiechem.

Powiem wam, że cudownie tak iść razem w porywistym wietrze unoszącym gazetową suknię Marzanny i rozwiewającym jej sznurkowe włosy. Zaczynamy nawet śpiewać stosowną pieśń:

– HOP DZIŚ, DZIŚ, DANA, DANA,
WON, ZIMO KOCHANA!
HOP DZIŚ, DZIŚ, HOPSA, HOPSA,
NIECH JUŻ PRZYJDZIE WIOSNA!

Wszystko byłoby świetnie, gdyby nie deszcz, który zaczyna padać coraz mocniej. I nie jest to bynajmniej milutki i ciepły wiosenny deszczyk. Z nieba spadają ciężkie krople, a wiatr ciska nimi prosto w nasze twarze. Brr...

– Ciociu... Może skręcimy tu bliżej, nad jeziorko? – pytam, przekrzykując wichurę.

Mam na myśli Jezioro Kiełpińskie, nad które czasem przychodzimy. Najpiękniej jest tu rankiem, kiedy nie ma tłumu wypoczywających ludzi i woda mieni się srebrzyście. Dzisiaj oczywiście raczej się pieni, niż mieni, bo słońca już ani śladu. Jest to po prostu najbliższy większy akwen wodny, jaki przychodzi mi do głowy.

– Masz rację, Zosiu – wzdycha Malina. – Zanim dojdziemy do rzeki, będziemy kompletnie przemoczeni.

Tym sposobem zmieniamy nieco trasę, ale i to na niewiele się zdaje. Wyobraźcie sobie, że nagle rozlega się najprawdziwszy grzmot! I to jaki!

– Pierwsza wiosenna burza! – woła z zachwytem ciotka.

– Bach! – wtóruje jej zachwycony Krzysio, któremu deszczowa woda cieknie po nosie.

– Iii-iii-iii!!! – rozlega się żałosne popiskiwanie Rufusa.

Nie wiem, czy wam wspominałam, ale on panicznie boi się burzy. Podobnie jak fajerwerków.

– Spacery podczas burzy

są NIEIGIENICZNE!!!

– oznajmia Mania kategorycznym tonem.

Ja nie mówię już nic, żeby nie pogarszać sprawy. Wiecie, rzecz jasna, jakie mam skojarzenia? To oczywiste – nadmiernie eksploatowana Marzanna postanowiła dać nam nauczkę!

4. MARZENA
NA BAJORCE

– Musimy ją w końcu utopić, bo to nam jeszcze przyniesie pecha! – oświadcza Misio podczas obiadu.

– Po prostu połóżmy ją na tarasie, a na pewno zaraz się sama utopi – mówi Mania i ma wiele racji. Deszcz leje jak z cebra.

– Przy takiej pogodzie to raczej nie ma sensu paradować z Marzanną po Łomiankach – zauważa ciotka.

– Ale nie rozumiesz, mamo, że Śmiertka znowu jest w domu? – niecierpliwi się kuzyn.

– Gaik, czyli maik, też! Nie zapominaj, że wnieśliśmy do domu wiosnę w koszyku – informuje Mania.

– To się nie liczy! Od tego matka natura zwariuje! Jak można wynosić z domu maik z Marzanną, a potem wracać z tym samym zestawem? I jeszcze ten szop na jajkach! To na pewno jest kompletnie nieczytelny znak!

Nic o tym nie było w moich *Trzystu trzydziestu trzech wiosennych obrzędach*. – Misio zaczyna się pieklić, a tego bardzo nie lubię. Wy pewnie też.

Niech deszcz coraz wolniej kropi,

a Marzanna się utopi

– powtarzam w myślach niezawodne ZAKLEŃSTWO. I wiecie, co? Przychodzi mi do głowy świetny pomysł.

– Słuchajcie! – wołam. – Nie myślicie, że można by ją po prostu utopić w ogrodzie? Przecież i tak mieliśmy urządzić tam wiosenny piknik. Połączymy jedno z drugim, jak tylko trochę przestanie padać.

– Czemu nie? – Malina wzrusza ramionami. – W końcu tu chodzi o gest symboliczny.

– A niby gdzie? – burczy Misio.

– W Jeziorze Fryderyka – proponuję.

– OCZEWIŚCIE! – Mania klaszcze z radości.

– Najlepiej zróbmy to od razu. Nie ma na co czekać – decyduje Misio i natychmiast podrywamy się od stołu (jest po drugim daniu, a przed deserem, więc zrozumcie nasze poświęcenie).

Zaopatrzeni w parasole odprowadzamy Marzannę uroczyście w kierunku Jeziora Fryderyka, gdzie ląduje, ciśnięta przez kuzyna jednym celnym ruchem. O podpalaniu kukły nie ma mowy, ponieważ jest przemoknięta do suchej nitki. Potem kolejny raz śpiewamy stosowną pieśń i biegniemy w kierunku schodków, gdzie Muffin waruje przy gaiku-maiku. Pysk ma w koszu, co wydaje mi się wielce niepokojące. I słusznie. Ledwo Misio wydaje swój okrzyk rytualny: „Witaj, wiosno, w naszym domu!", spod Fryderyka coś zaczyna wyciekać.

– Zsikał się! – Misio parska śmiechem, nie zważając na powagę sytuacji.

Wiecie, wolałabym, żeby to były siki szopa. Niestety jest to jajko, jedno z tych wysiadywanych, i trzeba teraz posprzątać. Zgadnijcie, kto się tym zajmuje. Oczywiście ja, ponieważ wszyscy biegną do okna oglądać zatopioną Marzannę, a do Maliny dzwoni mama i opowiada, że kąpała się w wannie pełnej błota. Moim zdaniem mogła to spokojnie zrobić na miejscu. Z równie dobrym skutkiem. Nie sądzicie?

Wiosenny piknik rozpoczyna się późnym popołudniem, kiedy deszcz już prawie nie pada. Zdążył jednak zrobić swoje i w ogrodzie dosłownie nie ma gdzie stanąć. Jezioro Fryderyka połączyło się z sąsiednią kałużą i biedna Marzanna nie wygląda już tak malowniczo. Prawdę mówiąc – przypomina kupkę nieszczęścia.

– Szkoda mi tej MARZENY –
wzdycha moja siostra, kiedy brnąc
w błocie, rozwieszamy na krzakach krepinowe kwiaty.

To ma być wiosenny akcent. Nawet dosyć ładnie prezentują się na nagich gałęziach.

– Ale co możemy z nią zrobić? – pytam, przyglądając się badawczo krzewowi forsycji. Czy mi się zdaje? Wygląda, jakby miał pąki! Muszę o tym koniecznie powiedzieć Malinie.

– No nie wiem… Może wysłać ją do jakiegoś SPA jak mamę? Albo chociaż na wy-SPĘ? – Mania zamyśla się na dłuższą chwilę. – Zosia! – woła w końcu. – Wyślijmy MARZENĘ na BAJORKĘ! To podobno bardzo ładna wy-SPA!

Spoglądam na Manię, a potem na bajoro Fryderyka. Parskam śmiechem. To naprawdę jej się udało!

Część pikniku upływa nam więc na budowaniu sztucznej wyspy. Misio proponuje, żeby zrobić ją na palach, ale szybko z tego rezygnujemy. Mam nadzieję, że tata nie będzie zły, ponieważ korzystamy z desek, które przechowuje w kącie garażu. Kiedyś wspominał, że zbuduje z nich domek na drzewie albo piaskownicę (jakby jedna kocia kuweta pod krzaczorem to było za mało dla naszych gości oraz stałych mieszkańców – Muffina i Zdaszka). Ale wiecie, jak to jest z obietnicami dorosłych. Większość umiera śmiercią naturalną. No, chyba że tym składającym obietnicę dorosłym jest ciotka Malina. To zupełnie co innego. Moim zdaniem ona po prostu pamięta czasy, kiedy sama była dzieckiem, i dlatego traktuje nas poważnie. W stu procentach.

Nasza BAJORKA wygląda bajkowo. Rośnie na niej nawet palma, a kupa piasku w kącie do złudzenia przypomina malutką plażę.

Marzanna krzywo się uśmiecha, patrząc na to wszystko, a brokatowa trupia czaszka połyskuje złowieszczo.

– Wygląda jak jakaś piratka, no nie? –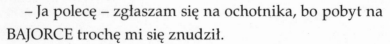
Mania szturcha mnie w bok

– Aha – odpowiadam.

– Ktoś chyba jest przy furtce –
mówi Malina, nasłuchując.

Rzeczywiście. Dobiega
stamtąd podejrzane
ujadanie Rufusa.

– Ja polecę – zgłaszam się na ochotnika, bo pobyt na BAJORCE trochę mi się znudził.

Przed furtką stoi chłopiec w czapce z daszkiem i puchowej kurtce. Trochę mu chyba za ciepło, bo nie ma dzisiaj mrozu. Wydaje mi się, że skądś go znam, ale nie jestem pewna. Dopiero kiedy się odzywa, uświadamiam sobie, że to nowy sąsiad – ten z końca ulicy. Widziałam go nieraz, jak spacerował przed naszym domem.

– Zginął nam pies – mówi na mój widok. – Nazywa się Topi. Taki czarny, duży – dodaje, a ja o mały włos nie parskam śmiechem. Trudno o lepsze imię dla psa w taką pogodę. Naprawdę!

– Ojej – odzywam się ze współczuciem, mając nadzieję, że w moim głosie nie słychać żadnych wesołych nutek.

Co ja poradzę, że mam takie dziwne poczucie humoru?

Wprawdzie Malina nazywa je prawdziwym błogosławień-stwem i podstawą przetrwania w świecie pełnym niespo-dzianek, ale przyznacie sami – bywa ono kłopotliwe.

Tak jak teraz. Nie chcę, by nowy sąsiad myślał, że sobie z niego żartuję. W końcu zaginięcie psa to smutna spra-wa. Nawet Rufusa byłoby mi szkoda, gdyby przepadł bez wieści. Choć w tej chwili mam ochotę go udusić, bo dzia-mie jak najęty.

– Mam na imię Kris. – Nowy sąsiad przypomina sobie, że właściwie się nie znamy.

Wydaje mi się, że podczas prezentacji mocniej naciąga czapkę na oczy. Dziwne, prawda?

– Kto to? Kto to?! – woła za moimi plecami Mania, za którą podąża reszta rodziny.

– Kris. Zgubił mu się pies – wyjaśniam.

– Oj, to trzeba działać jak najszybciej! – Malina wygląda tak, jakby chciała natychmiast wyruszyć z ekspedycją ratunkową. – Wiem, co mówię. Rufus też nam się kiedyś zgubił. Na wakacjach. W Borach Tucholskich.

– I od tego czasu wygląda jak żubr – żartuje Misio, który z nadzieją spogląda na gościa.

Nawet go rozumiem – skoro przebywa w tak zdecydowanie damskim gronie jak nasze, nowy kolega na horyzoncie wydaje mu się prawdziwym skarbem! Gdyby Kris chociaż trochę przesunął ten daszek, moglibyśmy mu spojrzeć w oczy.

– Uciekł podczas spaceru? – Malina przechodzi do konkretów.

– Tak. – Kris kiwa głową ze smutkiem. – I to w dodatku ja z nim wyszedłem. Rodziców nie ma w domu. Jak wrócą, będą się złościć… Topi jest ulubieńcem taty…

1.

Naprawdę współczuję temu chłopakowi. Najwyraźniej boi się ojca i matki. Nie uważacie, że to okropnie smutne?

Po wyznaniu Krisa zapada cisza i chyba nikt poza mną nie zwraca uwagi na śmieszność psiego imienia.

– Pomożemy ci go szukać, prawda? – Malina spogląda w naszą stronę.

Wszyscy kiwamy głowami, choć bieganie w deszczu to naprawdę kiepska rozrywka i Mania już dość regularnie kicha. Chyba że to jakaś alergia. Na Marzannę na przykład…

Kris podaje nam dokładny rysopis zaginionego i rozdzielamy się na dwie grupy. Malina z Misiem, Krzysiem i Rufusem idą w kierunku domu Igi, a my (ja z nowym sąsiadem i Manią) przeczesujemy najbliższy teren.

2.

– Znasz już Waneskę, Laurkę i Penelopkę? – pytam, a chłopak kręci głową. – To zaraz poznasz. – Uśmiecham się, wskazując dom za płotem. – Może twój pies wbiegł do ich ogrodu. Często mają uchyloną furtkę.

Z domu Penelopek dobiegają rytmiczne dźwięki. Drzwi otwiera nam Laurka w stroju baletowym. Za nią czai się średnia siostra. Po Wanesce ani śladu.

– Cześć, dziewczyny – mówię. – To jest Kris i właśnie zgubił mu się pies. Nie było go czasem w waszym ogrodzie?

– Kris?!
Łał!!!

Waneska! Nie uwierzysz, kto przyszedł! – Penelopka wydaje z siebie pisk i ucieka na górę, jakby co najmniej zobaczyła ducha. Laurka natychmiast idzie w jej ślady, a chłopak jeszcze mocniej naciąga czapkę na czoło.

„Kiedyś jej nie zdejmie" – myślę, kompletnie nie rozumiejąc, po co to robi.

– Lepiej stąd chodźmy – mówi Kris słabym głosem.

– Ale one nic nie powiedziały! – protestuje Mania. – Może ten twój UTOP gdzieś tu siedzi w kącie, a my będziemy szukać hen, za górami, za lasami...

 Ach ta Mania! Czasem naprawdę mogłaby po prostu milczeć!

 – Szukacie psa? – rozlega się za naszymi plecami znajomy szept.

Zza uchylonych drzwi piwnicy wychyla 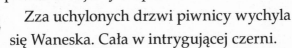 się Waneska. Cała w intrygującej czerni.

– A co ty robisz w piwnicy? – odszeptuję.

– Ukrywam się przed mamą. Nie mam zamiaru zostać gwiazdą!

Z ust Krisa pada jakieś dziwne prychnięcie. A może jest to raczej pomruk? Sama nie wiem.

Gapimy się wszyscy troje na Waneskę, gdy ze schodów zbiegają jej siostry.

– A! Tu jesteś! Mama cię wszędzie szukała! Masz zaraz brać się do ćwiczeń! – woła Laurka. Za to Penelopka nadal piszczy i podskakuje, pokazując palcem w stronę Krisa. To naprawdę nie jest eleganckie. Ani trochę!

– Waneska! Waneska! To przecież Kris z „Top topów"!

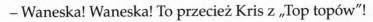

– O czym ona mówi? – dziwi się Mania. –
Czy ten zgubiony pies nie ma raczej na imię UTOP?

– TO-PI – wyprowadzam ją z błędu.

– Nie To-pi, tylko „Top topów"! Program w telewizji!
Dla młodych talentów i przyszłych gwiazd. Niemożliwe, że go nie znacie! – oburza się Penelopka, robiąc sobie przerwę w wydawaniu piskliwych dźwięków.

Spoglądam na Krisa, który ze wszystkich sił stara się
po prostu zniknąć pod swoim nakryciem głowy.
Szkoda, że to nie jest czapka niewidka.
Bardzo by się biedakowi przydała.

– Zupełnie nie wiem, czemu tak piszczysz
i podskakujesz, ale Kris ma kłopot! – oznajmia
Mania, spoglądając karcącym wzrokiem
na Penelopkę. – Wyobraź sobie, że zginął wam
Budyń. Przepadł jak... MARZENA na BAJORCE...

Tu Mania dramatycznie zawiesza głos, a ja zakrywam
dłonią usta, żeby nie parsknąć śmiechem.

Tym razem to Penelopka nic nie rozumie. I bardzo jej
tak dobrze. A kiedy próbuje znowu pisnąć i wydać okrzyk
zachwytu w obcym języku, odzywa się Waneska.

– Zamknij się! – zwraca się do siostry bardzo
ostro, co, wyobraźcie sobie, przynosi natychmiastowy
efekt. Laurka i Penelopka stają na baczność i słuchają
rozkazów najstarszej siostry.

– Wracacie na górę. I ani słowa
na temat Krisa oraz jego psa. Ja idę
z nimi – (tu ruchem brody wskazuje
w naszym kierunku) – szukać zaginionego. Jasne?

– A jak mama
wróci wcześniej
i zapyta, dlaczego nie
ćwiczysz? Co mamy powiedzieć?
– chce wiedzieć Laurka.

– A umiecie NIC nie mówić? – pada
złowrogie pytanie.

Obie dziewczynki kiwają głowami.

– To dopiero jest talent! – Waneska
uśmiecha się złośliwie.

– Ale co? – nie rozumie Penelopka
i tym zdaniem zupełnie się pogrąża.

– Milczenie, OCZEWIŚCIE! –
Mania postanawia zamanifestować
swoją przewagę i rzeczywiście jej
się udaje.

Baletnica i tancerka disco udają
się do sali ćwiczeń, a my możemy
spokojnie opuścić dom.

Przez dłuższą chwilę idziemy w zupełnym milczeniu. Wreszcie odzywa się Kris.

– Dzięki – mówi do Waneski.

– Nie ma sprawy. – Sąsiadka wzrusza ramionami.

– A myślałem, że tutaj nikt mnie nie rozpozna – wyznaje chłopak z goryczą. – Nawet nie wiecie, jakie to jest męczące... Kiedy wszyscy się na was gapią, dziewczyny piszczą i jeszcze proszą o autografy. Na przykład w toalecie centrum handlowego. Wprawdzie wygrałem pieniądze i rodzice mogli przeznaczyć część z nich na wykończenie naszego domu, ale...

– A co z resztą? – pyta czujnie Mania.

– Mania! – Gromię siostrę wzrokiem. Co ją, do licha, obchodzą finanse naszego sąsiada?

– Z resztą czego? – Kris najwyraźniej nie rozumie.

– No, pieniędzy, OCZEWIŚCIE!

– A... Są na koncie. Dzięki nim będę mógł studiować tam, gdzie zechcą moi rodzice.

– No coś ty? – Waneska aż przystaje ze zdumienia. – To oni będą studiować czy ty? I to dzięki pieniądzom, które sam zarobiłeś!

– Nie znasz moich rodziców... – Kris wzdycha ciężko.

– A wiesz co? Czuję się tak, jakbym ich doskonale znała! – mówi Waneska. – Widziałeś moje siostry? Przyszłe gwiazdy?

Kris kiwa głową.

– Ja też do niedawna miałam taką zostać... I gwarantuję ci, że moja mama wydałaby ci się dziwnie znajoma! – Waneska uśmiecha się ironicznie.

– A co ty właściwie potrafisz, że zarobiłeś tyle pieniędzy? – pyta nagle Mania.

– Stepuję – odpowiada krótko Kris.

– STĘPUJESZ jak koń? I za to tyle płacą w telewizji? – dziwi się dzieciak.

Jak widać, nasze niekończące się zabawy w tresowanie kucyków nie poszły na marne... Kris wybucha śmiechem, a Waneska i ja przyłączamy się do niego. Mania jest zła i rozpogadza się, dopiero kiedy chłopak cierpliwie tłumaczy jej, o co dokładnie chodzi w stepowaniu.

– Nauczysz mnie? – pyta Mania natychmiast.

– Mogę ci pokazać, jak to się robi, ale uprzedzam: trzeba bardzo dużo ćwiczyć – odpowiada Kris.

Całkiem jest miły, wiecie? I Wanesce chyba też się podoba. Widzę, jak co chwilę spogląda na niego ukradkiem zza swojej grzywki.

Chodzimy po naszej okolicy, przeskakując kałuże i rozglądając się na wszystkie strony. Pada coraz bardziej, a gdzieś z oddali słychać grzmoty.

– Topi mógł wystraszyć się burzy – odzywa się posępnie Kris. – Grzmiało, kiedy spacerowaliśmy – dodaje.

– To zupełnie jak ROSÓŁ cioci. On też się boi. Panicznie – zauważa Mania.

– Chyba wszędzie już byliśmy... Chociaż... Został jeszcze ten dom na rogu, gdzie nikt nie mieszka. Tam są takie dziury w płocie, że nawet duży pies mógłby się przecisnąć – Waneska zastanawia się głośno.

– A zwłaszcza przestraszony – mówię, bo jej koncepcja wydaje mi się całkiem sensowna.

– Mam mokre stopy – odzywa się nagle Mania zbolałym głosem, a następnie kicha głośno.

– Zaraz wracamy – pocieszam ją i skręcamy w lewo, gdzie stoi opuszczony dom. Choć może to nie jest najlepsze określenie, bo na własne oczy widziałam starszą panią, która przyjeżdża tam od czasu do czasu, by otworzyć okna i posprzątać w ogrodzie.

Mam nadzieję, że teraz akurat jej nie będzie. Wygląda trochę jak czarownica i słyszałam, jak rozmawia sama ze sobą. Dziwna jest.

– Topi! Topi! – Kris przełazi przez niski płot, a za nim gramoli się Waneska.

– Podsadzisz mnie trochę? Bo mam nogi za ciężkie od wody – prosi Mania.

Moim skromnym zdaniem one są po prostu za krótkie, ale kłócić się nie będę.

Pomagam więc Mani bez słowa, a potem przeskakuję sama. Ogród zarastają straszne chaszcze, a do tego ze wszystkich gałęzi kapie deszcz.

Topi siedzi na tarasie, w najciaśniejszym kąciku, pod mikroskopijnym daszkiem zamontowanym nad balkonowymi drzwiami. Obok psa klęczy uradowany Kris. Obejmuje go i głaszcze, a zwierzak macha ogonem i szczeka wesoło.

– Dziękuję! – Chłopak uśmiecha się do nas. Przemoczoną czapkę cisnął na ziemię i przytula twarz do psiego pyska.

– To NIE- IGIENICZNE!

– ostrzega Mania, ale nikt jej nie słucha.

Wiecie, że Kris ma niesamowitą fryzurę? Mnóstwo poskręcanych loczków. I oczy ma uśmiechnięte. Tańczą w nich wesołe iskierki.

– Zosia! Siku mi się chce! – Mania nerwowo przestępuje z nogi na nogę.

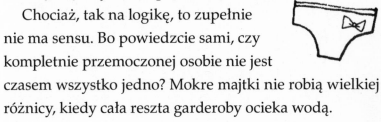

– Słuchajcie! Musimy pędzić do domu – mówię więc szybko i łapię Manię za rękę.

Chociaż, tak na logikę, to zupełnie nie ma sensu. Bo powiedzcie sami, czy kompletnie przemoczonej osobie nie jest czasem wszystko jedno? Mokre majtki nie robią wielkiej różnicy, kiedy cała reszta garderoby ocieka wodą.

5. MARZENIE SIĘ POWODZI

– O matko! – wzdycha Alina, wyglądając przez okno. – Czy ten deszcz nigdy nie przestanie padać? W ostatnich wiadomościach radiowych mówili, że to wszystko może się skończyć powodzią! A my jesteśmy na terenie zalewowym! Nie powinniśmy się na wszelki wypadek ewakuować? Lucjuszu? Jak możesz teraz spokojnie jeść ziemniaki?!

– Jestem głodny – oznajmia tata pomiędzy kęsami.

– Może to nasz ostatni posiłek w tym domu… – biadoli mama.

– Uspokój się, Alu… – Tata odkłada widelec. – Przecież nie było jeszcze żadnego oficjalnego komunikatu…

– Akurat! Wystarczy przejść ulicą i posłuchać, co ludzie mówią!

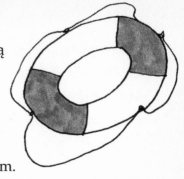

– Ludzie! O, ja wiem najlepiej, co oni potrafią odpowiadać! – Sławny psycholog Lucjusz W. łapie się za głowę teatralnym gestem.

– To wcale nie jest śmieszne! – NIH jest najwyraźniej wściekła na męża.

– Pewnie, że nie! – zapewnia ją gorliwie tata. – Ani trochę...

– Pan sąsiad mówił, że jak chluśnie, to zaleje nam garaże – informuje Mania znad swego talerza.

– A, to dlatego rozwożą worki z piaskiem. – Tata spokojnie sięga po widelec.

– Worki z piaskiem?! – Mama jak oparzona odskakuje od okna i pędzi do przedpokoju. Po chwili widzimy ją w krzywo zapiętej kurtce i kaloszach taty, które włożyła chyba przez pomyłkę. – Idę na zwiady – oświadcza i wybiega z domu.

– Czy poszła po te worki? – pyta Mania, ale nikt nie potrafi udzielić odpowiedzi.

Mama wraca po jakichś dziesięciu minutach.

– Nam też je przywiozą – oznajmia, sapiąc z wysiłku. Musiała dobiec do jakiegoś punktu informacyjnego
oddalonego od naszej ulicy, bo jest zziajana i czerwona.
– Będą wyć syreny – mówi z przejęciem. – Dwa razy długo, raz krótko albo trzy razy krótko, a może
raz długo i dwa razy krótko. Wszystko
mi się całkiem pomieszało…

– Czy one będą wyły
długimi ogonami, te
syreny w błyszczących
stanikach?

– pyta ofiara disnejowskich bajek, czyli
moja siostra.

– Nie. Takimi głośnikami. Dostanie-
my w ten sposób informację na temat
ewakuacji. – Mama jest bardzo zaafe-

rowana. Otwiera szafy, wyciąga walizki. Zupełnie jakby-śmy się szykowali do dalekiej podróży.

– Zosia, czy my wyjeżdżamy? – szepcze Mania z nie-pokojem. – Przecież za trzy dni moje urodziny! Wszyscy już przygotowują stroje. I tort zamówiony...

W odpowiedzi wzruszam tylko ramionami. Nie ma się czym przejmować, bo nasza NIH jest z natury histeryczna. Moim zdaniem w ogóle nie będzie żadnej ewakuacji. Woda w Wiśle opadnie i po kłopocie.

Najwyraźniej jednak kobiety w Łomiankach (i nie tylko) są innego zdania. Nie mija kwadrans, gdy roz-dzwaniają się telefony. Dosłownie wszystkie, czyli obie ko-mórki rodziców i stacjonarny. Ten ostatni odbiera Mania.

– Ciocia? Mówili o nas w wiadomościach? Czyli Ło-mianki są już sławne? No tak! Podobno wszyscy się utopi-my, jak chluśnie. Ale wcześniej zawyją syreny siedzące na workach z piaskiem. I nie wiem, czy będę miała urodziny,

bo może wszyscy wcześniej poumieramy. Szkoda, bo mam już przebranie. Ale to tajemnica. Pamiętasz, że wy też musicie mieć przebrania niezwykłych zwierząt? Jeśli przeżyjemy, oczewiście. Mama? Mama się pakuje do walizki i rozmawia z babcią Zelmer. Nie, ja nie wiem, czy się zaczęła WAKUACJA. Może Zosia wie. Poczekaj, ciociu…

Słuchawka trafia w moje ręce i spokojnie tłumaczę ciotce, że naprawdę nic się nie dzieje. Zdaje mi się, że to samo próbuje robić tata. On rozmawia z babcią Zulą, tą z Krakowa, która przywiozła nam na Wigilię POLIKARPIA w wiadrze.

Tata i ja zachowujemy spokój, ale mama nerwowo wykrzykuje coś do słuchawki, a strzępy słów dobiegających do mojego odsłoniętego ucha układają się w apokaliptyczny obraz. Koniec świata w Łomiankach. Tak można by to najkrócej określić. Biedna babcia Zelmer. Zakład, że najdalej za godzinę będzie tutaj z koszem pełnym jedzenia?

– Wiesz, Zosiu… Może daj mi na chwilę Alinę… – prosi ciotka.

Ruszam więc posłusznie w kierunku mamy. Nie będę przecież bronić Malinie rozmowy z własną siostrą. Ledwo NIH przerzuca się z komórki na stacjonarny, na horyzoncie wyrasta mama Leo w kaloszach i długim gumowym płaszczu.

– Czy macie może ponton?! – woła od progu, a tata z wrażenia upuszcza na podłogę sztućce, które właśnie niesie do zmywarki.

– Ponton?

– dziwi się. – Ale po co?

– Najlepiej gdybyście mieli dwa. Wtedy jeden pożyczę. Byłabym o wiele spokojniejsza, gdyby w domu był ponton.

Mama Leo nerwowo przestępuje z nogi na nogę, a jej długi płaszcz wydaje przy tym złowieszczy dźwięk.

– Zosia… Czy my też mamy się pakować? – pyta Mania, odciągając mnie na bok.

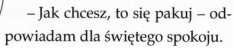

– Jak chcesz, to się pakuj – odpowiadam dla świętego spokoju.

– A moje urodziny?

– Nie przejmuj się. Najwyżej wynajmiemy ci jakiś lokal na mieście – rzucam niefrasobliwie.

– Jakąś salę balową, tak?

– Czemu nie?

– Hurra! To niech już chluśnie od razu! – Mania podskakuje z radości i biegnie do swojego pokoju.

Ja wychodzę na zewnątrz, gdzie akurat chwilowo nie pada. Z rozmiękłej ziemi tu i ówdzie wystają zielone kiełki. To wiosenne cebulki z trudem wydostają się na powierzchnię. A może raczej wypływają?

Forsycja wygląda tak, jakby za chwilę chciała zakwitnąć. Pączki są już żółte i gdyby choć na chwilę zabłysło słońce, kwiaty na pewno wyjrzałyby na zewnątrz.

Korzystając z nieobecności Muffina, rozsiadam się wygodnie na mojej gałęzi. Magiczne czujniki naszego kota na pewno sprawią, że pojawi się tutaj lada chwila. Ale na razie mogę spokojnie obserwować okolicę...

Widoki nie są zbyt piękne. Biedna Marzanna ciągle przebywa na BAJORCE, a minę ma coraz bardziej kwaśną. Spódnica całkiem jej się rozleciała, sznurkowe włosy zwisają smętnie.

Nie wygląda na osobę zadowoloną z pobytu na wyspie. Nawet taca z egzotycznymi owocami (ulepionymi z plasteliny), przyniesiona tu przez Manię, nie robi na kukle żadnego wrażenia.

Powiedzieć wam, co naprawdę o tym wszystkim myślę? Ta cała powódź zagrażająca Łomiankom to moim zdaniem nic innego jak zemsta Marzanny! Przecież ona jest przyzwyczajona do imprez z wielką pompą. Tu wprawdzie też była pompa, ale raczej innego rodzaju – jak pamiętacie, nieźle pompowało z chmur, i tyle. Zresztą z tego właśnie powodu uroczystość miała trochę kulawy przebieg.

Obawiam się, że biedna Marzanna, topiona wielokrotnie, ale za to w porządnych warunkach, odpowiadających jej zimowemu majestatowi, wreszcie porządnie się rozzłościła. Nie myślicie chyba, że w ogóle się nie zorientowała, W CZYM ją topimy. Całe to Jezioro Fryderyka w Łomiankach jest zwykłą kałużą gigantycznych rozmiarów...

A nie mówiłam, że z powodu tych częstych zatopień będziemy mieć tylko kłopoty? Teraz mogę jedynie wymyślić jakieś nadzwyczaj skuteczne ZAKLEŃSTWO antypowodziowe.

GDY POWODZI SIĘ MARZANNIE, WODA W WIŚLE WNET OPADNIE

– przychodzi mi natychmiast do głowy. Pojęcia nie mam, jak to rozumieć. Wpatruję się intensywnie w zbolałą twarz kukły i powoli coś zaczyna mi świtać. Trzeba po prostu wpaść na chytry pomysł i przebłagać Marzannę, żeby sobie poszła na dobre, razem z deszczem, powodzią i wszystkim, co najgorsze.

„Niech się inni pakują i ewakuują!" – myślę, zeskakując z drzewa. Należy natychmiast wtajemniczyć we wszystko Manię i poprosić o pomoc Penelopki. One będą po prostu nieocenione!

Mania nie chce mnie w ogóle słuchać, ponieważ MOTYLEUM nie mieści się w małej czerwonej walizce.

– Nie mam czasu zajmować się MARZENĄ. Ona już się utopiła, a dla AGMIRAŁA woda oznacza śmierć! Muszę go ratować, rozumiesz?

– Przecież on już nie żyje!

– Ale nie żyje w SUCHOŚCI, a nie w MOKROŚCI! – Zaaferowana Mania miota się po swoim pokoju, więc zostawiam ją i wybiegam na ulicę.

Może Penelopki odniosą się do mojego pomysłu z większym entuzjazmem. I wiecie co? Okazuje się, że mogę liczyć na nasze sąsiadki. Laurka pożycza nawet swoje stare bolerko z futerkiem!

Dzięki naszej współpracy Marzanna mogłaby teraz spokojnie uchodzić za Miss BAJORKI.

Z makijażem permanentnym (wykonanym flamastrami Penelopki), w bolerku Laurki i peruce upodabniającej ją do Marilyn Monroe wygląda znakomicie. Z bambusowego ramienia zwisa jej wyszywana cekinami złota torebka.

I wyobraźcie sobie – chmury nagle się rozstępują i blade promienie słońca wydobywają z cekinów cały blask.

– No, to chyba nam się udało – stwierdza z dumą Waneska. – Babka wygląda elegancko i deszcz może już nie będzie dzisiaj padał.

– Czary zadziałały – dodaję z ulgą.

– Ale tej MARZENIE się powodzi! – słyszymy pełen podziwu okrzyk.

To Mania tarabani się na taras z walizką.

– Wyprowadzasz się? – pytam.

– Nie. Ustawiam tylko AGMIRAŁA w kolejce do szalupy ratunkowej. Jak po nas przypłyną, to będzie pierwszy – wyjaśnia Mania i zeskakuje ze schodków, by z bliska podziwiać nowe oblicze Marzanny.

– Wygląda tak, jakbyśmy jej zrobiły operację plastyczną, no nie? – Laurka z dumą przygląda się naszemu wspólnemu dziełu.

– No! – Penelopka kiwa głową z zadowoleniem. – Mogłaby spokojnie wystąpić w „Top Model" albo czymś podobnym.

– OCZEWIŚCIE! Przecież na topieniu to ona zna się najlepiej. – Mania zgadza się z sąsiadkami.

Kiedy tak sobie stoimy w nieśmiałych promieniach słońca, nagle otwiera się okno i na taras wyskakuje Alina z rozwianym włosem.

– A! Tu jesteście! Już myślałam, żeście się gdzieś utopiły! – wykrzykuje zdenerwowana. – Chodźcie się pakować, zaraz przyjedzie po nas Malina.

– Wyjeżdżacie? – dziwi się Waneska.

– A wy nie? Co robią rodzice? – dopytuje się mama.

– Tata śpi, a mama maluje paznokcie – objaśnia Penelopka.

– U nóg – uściśla Laurka.

– To się nie ewakuujecie? – Zdziwienie NIH sięga zenitu.

– Tata mówi, że nie ma potrzeby. W okolicy zdarzają się takie sytuacje. Jak miała się urodzić Laurka, to też była prawie powódź – tłumaczy spokojnie Waneska, a ja patrzę z nadzieją na mamę. Może zainspiruje się słowami naszej sąsiadki? W końcu oni mieszkają tu od wieków, nie to co my.

Ale znacie już moją mamę – tę niezłomną strażniczkę higieny i porządku. Jak raz sobie coś postanowi, to koniec! Na wszelki wypadek nie komentuję więc w żaden sposób przytomnej wypowiedzi Waneski. Za to mama nadstawia ucha i wyławia odgłos nadjeżdżającego pojazdu.

– To pewnie ciężarówka z workami! – ożywia się. – Dalej, dziewczynki! Trzeba je będzie ułożyć przy bramie garażowej.

Penelopki spoglądają na Alinę ze zdumieniem, a ja mrugam do nich porozumiewawczo.

– Odprowadzimy tylko koleżanki – mówię uspokajającym tonem i wybiegamy na ulicę.

Sterta worków rzeczywiście leży przy chodniku. Wyglądają na dosyć ciężkie. Nie mam zamiaru w ogóle ich dotykać.

– Dzięki za pomoc – mówię na pożegnanie.

– Nie ma sprawy! – Waneska uśmiecha się i dodaje: – Tylko nie wyprowadzajcie się na zawsze. Nudno tu będzie bez was.

No powiedzcie sami – czy to nie jest bardzo miłe? I pomyśleć, że całą tę sytuację zawdzięczmy jednej Marzannie, której się powodzi.

– Wrócimy, OCZEWIŚCIE! Prosto na moje urodziny! – zapewnia Mania. – I wtedy się spotkamy, w sobotę. Bo was też zapraszam. Trzeba się przebrać za najdziwniejsze zwierzę świata.

– W tę sobotę? – upewnia się Waneska, a Penelopka i Laurka piszczą i podskakują.

– Tak! – potwierdza Mania, dumna jak paw.

– Dziękujemy. Na pewno przyjdziemy – mówi Waneska.

– A czy możemy wystąpić? – pyta Penelopka.

– Właśnie! – dołącza do niej Laurka.

– Jak chcecie – odpowiada Mania, a potem machamy sobie na pożegnanie.

Przed naszym domem stoi samochód taty.

– Jedziesz dokądś? – dziwię się.

– Mama kazała mi ewakuować się z garażu, bo jak go zaleje, to będzie po samochodzie – wyjaśnia tata i przewraca oczami.

– I worki z piaskiem też masz ułożyć? – pyta Mania.

– Jakbyś zgadła. Zwłaszcza że zrobili to wszyscy sąsiedzi na naszej ulicy…

Rzeczywiście! Tata ma rację! Wzdłuż każdego ogrodzenia piętrzą się worki, a ludzie stoją w grupkach i rozmawiają.

– To jest prawdziwa integracja, prawda tato? – Pokazuję w kierunku rozmawiających.

– Taak… – Tata sapie z wysiłku.

„Jednak trochę mu pomogę" – decyduję i łapię worek z drugiej strony. Mania też się dołącza i przy tej pracy zastaje nas babcia Zelmer.

– Przyjechałam was ewakuować! – oświadcza, wysiadając z samochodu. – Ale najpierw coś przekąsimy. Nie wolno robić zbyt gwałtownych ruchów, kiedy jest się na czczo – dodaje.

– My właśnie jedliśmy obiad – zauważa Mania.

– Czy ja mówiłam o obiedzie? Chodziło mi raczej o szarlotkę…

– Z KRUSZYNKĄ?

– pyta dzieciak z błyskiem w oku.

– Jasne! – Zelmer wskazuje na wiklinowy kosz, wypełniony po brzegi.

W tej samej chwili na horyzoncie pojawia się samochód Maliny. Zgadnijcie, co ciocia mówi, wysiadając. Już wiecie? Dokładnie to samo co babcia.

– Przyjechałam was ewakuować! – gromki okrzyk ciotki słyszy na pewno każdy w okolicy. Ciekawe, co sąsiedzi sobie teraz o nas myślą? Bo chyba podejrzewają,

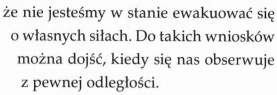

że nie jesteśmy w stanie ewakuować się o własnych siłach. Do takich wniosków można dojść, kiedy się nas obserwuje z pewnej odległości.

Wyobraźcie sobie, że w domu nie da się normalnie zjeść szarlotki. Zapobiegliwa NIH pochowała różne rzeczy, żeby nie porwał ich wartki nurt Wisły, więc niczego nie potrafimy znaleźć.

– Dlaczego zapakowałaś tu wszystkie albumy ze zdjęciami? – dziwi się Zelmer na widok gigantycznej torby.

– Bo dbam o ciągłość pokoleń, to znaczy... miałam na myśli pamięć historyczną – plącze się Alina, a jej siostra chichocze.

– A zabrałaś rysunki z PSIKOTEM? – dopytuje się Mania.

– Są tam! – Mama wskazuje duże pudło w kwiatki.

– A kuweta Muffina? – pytam.

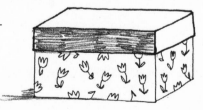

– Kuweta jest na razie tam gdzie zwykle, tylko on gdzieś przepadł. Może go poszukacie?

– **Muffin nie przepada.**

 To my za nim przepadamy

– zauważa Mania i ma rację.

Jak już wam wspominałam, ten kot chętnie chodzi przy nodze i trzyma się domu jak pies. Byłam przekonana, że siedzi sobie na parapecie w kuchni, kiedy wychodziłam odczarować Marzannę.

Wyobraźcie sobie, że Muffina nigdzie nie ma. Przeszukujemy wszystkie jego ulubione kąty, a po kocie ani śladu.

– Może sam sobie zrobił tę WAKUACJĘ? – zastanawia się Mania głośno.

To wcale nie jest taki głupi pomysł. Biedny Muffin mógł mieć dość całego zamieszania i histerycznego miotania się Aliny. Może rzeczywiście postanowił zaszyć się w jakimś zacisznym kącie, dopóki sytuacja nie wróci do normy. Nie przyszłoby mu przecież do głowy, że rodzina zdecyduje się opuścić dom.

– Ale gdzie on mógł się ewakuować? Pomyślmy – mówię, rozglądając się.

Po dokładnym przeszukaniu domu wychodzimy na zewnątrz, ale tutaj nie ma aż tak wielu potencjalnych kryjówek dla kota. Muffin nie siedzi na żadnym drzewie (nawet na naszej ulubionej gałęzi), w krzakach, na tarasie, pod ławką ani na huśtawce.

Obchodzimy dom dookoła i mój wzrok pada na garaż. Proszę, proszę... Jak widać, powodziowa integracja sąsiedzka dotyczy także zwierząt. Szturcham Manię w bok.

– Patrz! – mówię szeptem.

– Jest ze Zdaszkiem! Zakolegowali się!

– cieszy się Mania, ale uśmiech szybko znika z jej twarzy. – Zosia! Przecież my nie możemy ich tu zostawić na pożarcie! – oznajmia z grozą.

– Na jakie znowu pożarcie? – pytam.

– Wodne, OCZEWIŚCIE!

– Na dachu nic im nie grozi – zapewniam.

– A prowiant?

– Wyłowią sobie z wody jakąś mysz – żartuję, ale Mania natychmiast się oburza.

– TO NIEKOLOGICZNE!

Ona może być pełna zarazków
i namoczona chorobą!

– No dobra… Zostawimy im karmę na czarną godzinę
– mówię, ale Mani to nie przekonuje. Biegnie po tatę i po
chwili cała rodzina usiłuje nakłonić Muffina i jego kolegę
do zejścia na ziemię. Nic to nie daje, a biedny Zdaszek siada do nas tyłem i udaje, że go nie ma. Co do Muffina – po-
szczekuje od czasu do czasu, dając w ten sposób do zrozu-
mienia, co myśli na temat całej sytuacji. Dość idiotycznej,
przyznacie sami. W końcu koty mogą sobie siedzieć, gdzie
tylko im się podoba, a reszcie świata nic do tego.

– Szkoda czasu – poddaje się w końcu mama, a my musimy jej przyznać rację. Koty są wyjątkowo uparte.

– Naprawdę myślicie, że coś im tutaj grozi? – pyta babcia Zelmer.

– Nie sądzę – mruczy tata. – Moim zdaniem woda
nie dojdzie do naszej ulicy. O ile w ogóle Wisła wystąpi

z brzegów. Kocia jest na lekkim wzniesieniu w stosunku do okolicznych ulic. Sprawdzałem na szczegółowej mapie i dokonałem wstępnych pomiarów.

– Och! Mówisz zupełnie jak jakiś geodeta! – Malina wyraża szczery zachwyt.

Za to NIH nie jest zachwycona.

– I dopiero teraz mi to mówisz, Lucjuszu?! – woła z oburzeniem.

– Bo dopiero niedawno to obliczyłem, a poza tym… I tak byś mnie nie posłuchała, prawda?

– Prawda! – zgadza się mama, a ciotka parska śmiechem.

– To jak się ewakuujemy? – niecierpliwi się babcia Zelmer.

– Mamy do dyspozycji aż trzy pojazdy – zauważa tata z ironią. – Jest w czym wybierać!

– Ja i AGMIRAŁ PYPEK zostajemy! Nie opuścimy pokładu, kiedy marynarze są zagrożeni! – oznajmia Mania stanowczo.

– Jacy marynarze? – dziwi się babcia.

– Zdaszek i Muffin!

MIAU

– Maniu! – Alina upomina dzieciaka stanowczym tonem.

– Alino! – odpłaca jej się tym samym Malina. – Twoja córka przejawia godny podziwu instynkt opiekuńczy – zauważa.

– Który pozwoli jej utonąć! – odcina się mama.

Zobaczycie – jeszcze chwila, a naprawdę się pokłócą!

– Nie pozwoli! Zbuduję arkę jak Noe! W *Biblii dla dzieci* na pewno dokładnie napisali, jak to zrobić!

Mania jest bardzo zdeterminowana.

– Z tego, co pamiętam, potrzebne są do tego potężne cedry, które trzeba ściąć – mówi tata.

– Na pewno są w Puszczy Kampinoskiej! Ja zbuduję z nich arkę na BAJORCE. Ona ma teraz swoją miss! I tam się razem ukryjemy!

– Niemożliwe! Nasza Marzanna została Miss BAJORKI?! – woła ciotka z zachwytem. – Nic mi nie powiedziałyście!

– Bo to świeża sprawa… Dopiero co zdobyty tytuł… – wyjaśniam.

– Muszę ją natychmiast zobaczyć! – oznajmia Malina i rusza w stronę ogrodu na tyłach domu.

– Słuchaj! – krzyczy za nią Alina. – Ciebie to się tylko żarty trzymają! A my tu mamy prawdziwe zagrożenie powodziowe!

– Ale ja wcale nie schodzę z posterunku! Idę tylko sprawdzić, czy w twoim pięknym ogrodzie zmieści się arka! – odkrzykuje ciotka.

Marzanna prezentuje się znakomicie i Malina robi sobie z nią pamiątkową fotografię aparatem w komórce.

– I jak myślisz, ciociu? Damy radę zbudować arkę Noego? – pyta Mania.

– Noego to raczej nie, ale naszą własną pewnie by się dało – mówi Malina.

– To w takim razie będzie arka SZOPIEGO.

Bo pan Fryderyk także musi zostać uratowany. Chwilowo przebywa w walizce, o tam! – Mania wskazuje taras. – Czeka z AGMIRAŁEM na szalupę ratunkową.

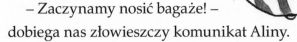

– Zaczynamy nosić bagaże! – dobiega nas złowieszczy komunikat Aliny.

– Już idziemy! – woła Malina.

– Ale ciociu… – Mania zaczyna marudzić.

ZAMIAST TEJ EWAKUACJI, WOLĘ GARŚĆ INNYCH ATRAKCJI

– powtarzam w myślach, bo wcale mi się nie uśmiecha jechać do Warszawy ze stertą bagaży i z zaryczaną siostrą. A coś czuję, że na to właśnie się zanosi.

– Wiesz, Maniu… Robi się późno. Krzysio i Misio czekają. Powiedziałam, że was przywiozę, zanim zasną. Wrócimy tu jutro i zbudujemy tę arkę. Obiecuję.

– No dobrze… A Muffin i Zdaszek?

– Poradzą sobie. Zresztą… Jak Muffin zobaczy, że wychodzicie, na pewno zmieni zdanie. Sama przecież mówisz o nim „PSIKOT"…

– To prawda. Spać mi się trochę chce – mówi Mania, ziewając.

I tym sposobem udajemy się do samochodu ciotki, a Muffin rzeczywiście zeskakuje z daszku i ociera się o moje nogi.

– Pojedziesz ze mną, kolego. Żeby Rufus cię nie zjadł. – Zelmer podnosi kota z ziemi, a on nawet specjalnie nie protestuje. Chyba widzi w babci potencjalnego dawcę pysznej karmy domowej roboty.

Najpierw odjeżdża spod domu Zelmer z Muffinem, a potem rodzice. My ruszamy na końcu, bo Mania przypomina sobie, że AGMIRAŁ i Fryderyk ciągle wypatrują szalupy na tarasie.

Jakiś samotny KUWECIARZ spogląda za nami smętnie, gdy oddalamy się w kierunku miasta.

– Podjedźmy jeszcze do Igi, na chwilę – proszę ciotkę i jak się okazuje, jest to strzał w dziesiątkę. Od rodziców Igi dowiadujemy się bowiem, że właśnie przed chwilą odwołano alarm przeciwpowodziowy w Łomiankach.

– To już nie zbudujemy arki SZOPIEGO! – mówi Mania ze smutkiem.

– Ależ wręcz przeciwnie! Zbudujemy na wszelki wypadek! Z Wisłą nigdy nic nie wiadomo – pociesza ją Malina.

W tym czasie mama Igi dzwoni do Aliny, żeby przekazać jej radosną wiadomość.

I wiecie co? Mama w ogóle się nie cieszy! Zupełnie jakby to było jakieś wielkie niepowodzenie, a nie powód do radości. Chociaż zaraz – biorąc rzecz dosłownie, to właśnie jest NIEPOWODZENIE – bo nie ma powodzi!

Humor mamy psuje się jeszcze bardziej, gdy odkrywamy, że wszystkie nasze majtki, rajstopy oraz przybory toaletowe pojechały z babcią Zelmer do Warszawy! Kiedy do niej dzwonimy, babcia mówi, że jesteśmy niepoważni i że ona nie będzie latała w kółko jak jakiś gołąb pocztowy, ponieważ właśnie zaparkowała przed swoim domem.

– Przynajmniej nie umyjemy dzisiaj zębów! – cieszy się Mania. – Stary Noe na pewno tego nie robił! – dodaje.

– Niewykluczone, że w ogóle ich nie miał – stwierdzam i cały wieczór szukamy informacji o zębach Noego. Może macie pomysł, gdzie możemy znaleźć coś na ten temat?

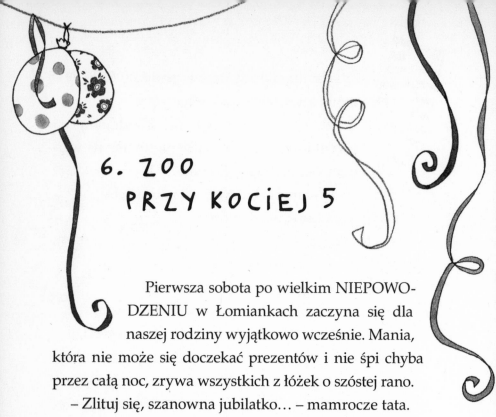

6. ZOO
PRZY KOCIEJ 5

Pierwsza sobota po wielkim NIEPOWO-DZENIU w Łomiankach zaczyna się dla naszej rodziny wyjątkowo wcześnie. Mania, która nie może się doczekać prezentów i nie śpi chyba przez całą noc, zrywa wszystkich z łóżek o szóstej rano.

– Zlituj się, szanowna jubilatko… – mamrocze tata.

– Co to? Czyżby znowu ogłosili jakiś alarm?! – woła przerażona mama.

– OCZEWIŚCIE to alarm PRZECIWMANIOWY! – Dzieciak skacze i piszczy z radości.

No i jak tu się na niego gniewać? Odśpiewujemy więc pospieszne rodzinne *Sto lat*, z poszczekującym Muffinem w tle, a potem moja siostra może rozpocząć poszukiwania. Bo u nas w domu prezenty się sprytnie chowa i nieraz trzeba się mocno natrudzić, żeby je znaleźć.

Rodzice wkładają szlafroki i ruszamy. Nasza rola ogranicza się jedynie do mówienia "ciepło" albo "zimno".

Pierwszy prezent Mania odnajduje w szufladzie ze skarpetkami. Jest to uszyty przeze mnie strój kąpielowy dla Fryderyka Szopena Pracza (pasiaste gatki i koszulka).

– Piękny! I jaki modny! Pan Fryderyk będzie zachwycony! – woła moja siostra i daje mi całusa.

Prezent od taty ukrywa się w jego wielkim kaloszu, stojącym w przedpokoju. Dosyć łatwo zauważyć białe uszy wystające z buta. Należą one do najsłodszego pluszowego królika, jakiego w życiu widziałam. Jest bielusieńki, mięciutki i ma uroczy wyraz pyska.

– Och! – Mania wyciąga prezent z kalosza i przytula z całej siły. – Nazwę cię Twarożek! – zwraca się do królika. – To bardzo do ciebie pasuje!

Nie jestem pewna, czy chciałabym się nazywać Twarożek. To już chyba lepszy byłby Białyser. Jak się to wymówi szybko, z akcentem na „y", brzmi nawet dosyć egzotycznie, nie sądzicie? A Twarożek? Cóż... Za bardzo spożywcze, moim zdaniem.

Trzeci prezent leży w pojemniku z pieczywem. Tylko Alina mogła na to wpaść, naprawdę!

– Książeczka o przygodach **PSIKOTKA!** Specjalnie dla mnie! Dziękuję, mamusiu! – Mania rzuca się mamie na szyję, przerywając męczący ją od dłuższej chwili atak ziewania.

Ponieważ z drugiego kalosza taty wystawała jeszcze spora tuba z czekoladkami, jest szansa na to, że Mania da nam trochę pospać, zanim stanowczo zażąda urodzinowego śniadania, na które tradycyjnie składają się omlety z powidłami babci Zelmer oraz koktajl truskawkowy w wykonaniu mamy.

Na to w skrytości ducha liczę, ale niestety! Tylko rodzicom udaje się wrócić do łóżka, i to na dosyć krótko. Ja muszę iść z jubilatką do pokoju i podziwiać prezenty.

Czego się jednak nie robi dla młodszej siostry w dniu jej urodzin…

Po ubraniu Fryderyka Szopena Pracza w strój kąpielowy oraz przedstawieniu Twarożka wszystkim innym mieszkańcom pokoju Mani (a jest ich tu trochę…) przychodzi pora na odczytanie przygód PSIKOTA.

Mama przygotowała coś naprawdę fajnego. Nie pamiętam, czy już wam o tym mówiłam, ale teraz Alina dostaje sporo zamówień na książki pozbawione treści. Brzmi podejrzanie, prawda? Ale pomysł jest genialny! Chodzi o to, żeby ilustrator narysował historię według podanego scenariusza, a rodzice mają „przeczytać" ją dziecku. Czyli zrobić dokładnie to, co ja robię teraz (w zastępstwie śpiących rodziców) – opowiedzieć własnymi słowami historię, która jest tylko narysowana. Ciekawe, prawda?

Podejrzewam, że do takiego zadania powinny się zabierać jedynie osoby wyspane, a nie wyrwane z łóżka przedwcześnie i pozbawione jakiegokolwiek posiłku. Mania jakby czytała w myślach, bo mówi nagle (widząc zapewne moje rozdzierające ziewanie, które utrudnia lekturę):

– Zosia! Może dziś na śniadanie będą czekoladki? Co ty na to?

– Świetny pomysł! – ożywiam się na te słowa.

A czekoladki są naprawdę przepyszne! Z nadzieniem malinowym. Zjadamy prawie wszystkie i po przeczytaniu połowy przygód PSIKOTA robi nam się trochę niedobrze.

– Zjadłabym kiszonego ogóreczka – informuje mnie Mania.

– Może są w lodówce – mówię bez większego przekonania. Ja wolałabym jajko na twardo. Z musztardą francuską. A do tego trochę szczypiorku, jeśli jest.

Nie myślicie, że to trochę dziwna rzecz z tymi smakami? Czekoladki powinny być raczej na deser – po jajku i kiszonym ogórku, a nie na odwrót.

Idziemy więc z Manią na paluszkach do kuchni i przeszukujemy ją pod kątem naszych smaków. Mania zadowala się czarnymi oliwkami, a ja gotuję sobie jajko, ale niestety wychodzi mi na miękko i ostatecznie zjada je Mania. Ona lubi wyłącznie takie. Na twardo nigdy nie tknie. Podobno są dla niej zbyt muliste.

Jak się domyślacie – kiedy przychodzi pora na omlety z powidłami i koktajl, żadna z nas nie jest w stanie przełknąć śniadania. Budzi to natychmiast niepokój NIH, która dotyka dłonią naszych czół i mówi z trwogą:

– Żebyście mi się tylko nie pochorowały! Przecież dzisiaj mamy gości!

– OCZEWIŚCIE, że jesteśmy zdrowe! – zapewnia Mania i na szczęście nie wspomina ani słowem o czekoladkach.

– To jedzcie tu sobie ładnie, a ja szybko wezmę prysznic. Jakoś kompletnie nie mogę się dziś obudzić! – Mama odnosi swój talerz do zmywarki i idzie do łazienki.

Jednego omleta udaje nam się wcisnąć Muffinowi, dwa zawijamy ukradkiem w serwetkę, żeby je zanieść do ogrodu – dla Zdaszka i Miss BAJORKI (nawet jeśli za nimi nie przepadają, zjedzą je ptaki), a na koniec z pomocą przychodzi tata – pożera pięć omletów i na talerzu zostają tylko dwa. Taka liczba nie powinna budzić żadnych podejrzeń.

Ciekawa jestem, czy wy też nie możecie się doczekać różnych miłych wydarzeń, które mają nadejść za kilka dni, godzin albo minut.

Na przykład w dniu urodzin. Człowiek od rana jest podekscytowany, zniecierpliwiony, ciągle patrzy na zegarek i nie może się doczekać gości. Jeśli znacie to uczucie (mnie często wtedy łaskocze w brzuchu z radości) – to wiecie doskonale, co dzieje się dzisiaj z Manią. Tylko że ona jest jeszcze mała i zupełnie, ale to zupełnie nie umie czekać.

– Zosia! Ja zaraz umrę! Dlaczego jest dopiero po śniadaniu?! – jęczy mi nad uchem.

– Mania! Pomyśl raczej, że jest już przed obiadem – radzę jej cierpliwie.

– Myślę, ale to nic nie pomaga!

– To zajmij się czymś... Porysuj, wymyśl zabawę dla Twarożka... – podpowiadam chytrze, bo sama chcę się wreszcie zabrać do projektu fotograficznego na wiosenny konkurs.

Muszę opracować jakąś atrakcyjną trasę dla Pippi w taki sposób, żeby z tego powstała zabawna historia. Bo jeśli nie będzie śmiesznie, cała praca nie ma sensu. Dla mnie Pippi to jeden szeroki uśmiech...

– Ale mój mózg wcale nie ARAGUJE! – mówi Mania płaczliwym tonem.

Parskam śmiechem i co robię? Oczywiście wymyślam zabawę dla tego całego Twarożka, a potem mama woła, żebyśmy nie siedziały cały dzień w domu, tylko wreszcie wyszły do ogrodu i zawiesiły ozdoby.

– O której spodziewamy się animatorki? – pyta żartobliwie tata, popijając kawę ze swojego ulubionego kubka.

To się nazywa poranna kawa, chociaż ranek dawno się skończył. W soboty tata nadrabia cały tydzień pospiesznego picia swojego ulubionego napoju. Delektuje się nim powoli od rana do wieczora.

– Nawet nie wiecie, jakie to przyjemne, dziewczynki, tak sobie sączyć kawkę i nigdzie się nie spieszyć – powtarza i uśmiecha się do nas. Tak jak teraz.

– Ani Matorki? Ja nie znam żadnej Ani, OCZEWIŚCIE! – Mania przygląda się ojcu ze zdumieniem, a ten parska śmiechem, w czym zresztą mu wtóruję.

Ania Matorka to piękna postać, nie sądzicie?

– Chodziło mi o Malinę – wyjaśnia tata.

– To nie mogłeś od razu powiedzieć?! – złości się Mania. – Ciocia zaśpiewała mi Sto lat przez telefon, razem z ROSOŁEM wyjcem,

Misiem i Krzysiem. I powiedziała, że przyjadą na obiad i że go przywiozą w garnku.

– I dopiero teraz mi to mówisz?! – woła mama.

– Trzeba było nie spać od rana! – z godnością zauważa moja siostra.

– Taak… Kto rano wstaje, telefon dostaje… – mówi Lucjusz Wierzbowski tonem wielkiego mędrca, a mama drapie się nerwowo po głowie.

– Zapomniałam! – woła nagle.

– O czym? – pyta tata.

– O jednorazowych kubeczkach i talerzykach!

– Zaraz pojadę do sklepu. Nie przejmuj się, Alu… – Tata próbuje przytulić mamę, ale ona się wywija zupełnie jak jakiś grzechotnik albo węgorz. Zawsze się robi taka nieprzystępna, kiedy domowi zagraża potencjalna katastrofa w postaci inwazji najeźdźców (gości) lub kataklizmu (weźmy choćby niedoszłą powódź).

– Tylko nie kupuj NIEKOLOGICZNYCH! – Mania groźnie upomina ojca, a on zrywa się z krzesła i staje na baczność. – Tak jest, pani generał! – woła głośno i salutuje, a Mania chichocze.

– Spocznij – mówi mama i lekko się uśmiecha.

Oj, nie będzie łatwo, już to czuję. Ani mamie, ani nam... Całe szczęście, że wydarzenie przy Kociej 5 koordynuje Malina, a oprócz mnie do pomocy zgłosiły się jeszcze dwie asystentki – Leo (nareszcie wyzdrowiała) i Iga. Prawdę mówiąc – sama je o to poprosiłam. Grupa przedszkolna mojej siostry, przebrana za najdziwniejsze zwierzęta, to coś, co naprawdę mnie przeraża i wolę mieć w pobliżu przyjaciółki. We trzy zawsze raźniej. No i będzie przecież jeszcze Waneska, która naprawdę daje się lubić i chyba trochę lubi nas, nie wydaje wam się?

Malina przybywa z odsieczą oraz niezliczonymi torbami, pudełkami i pakunkami. A w bagażniku jest specjalny zielony garnek.

– Co tam masz, ciociu? – dopytuje się Mania, usiłując unieść ciężką pokrywkę.

– Lasagne! Mniam! – odpowiada Misio, bo Malina chyba nie słyszy pytania, zajęta grzebaniem pod przednim fotelem pasażera.

– A mój tort?

– Nie myślałaś chyba, że jest w garnku?! – prycha Misio, ale robi to, o dziwo, dość przyjaznym tonem.

– No nie wiem... Ciocia mówiła, że to wyjątkowy tort...

Mania ma niewyraźną minę.

– Bo jest niezwykły i właśnie go wydobyłam. Nie jechał w bagażniku, tylko pod siedzeniem. Bałam się, że tam go coś zmiażdży – wyjaśnia ciotka, prezentując nam obszerne pudło przewiązane błękitną wstążką. – Niespodzianka! – Macha pudełkiem przed Manią, która piszczy i skacze z radości.

– Mogę otworzyć? – prosi.

– O, nie! Jeszcze nie przyszła pora!! Teraz jest czas na lasagne. Alina się na pewno ucieszy, bo ona kocha to danie!

Ciotka wręcza mi pudło z tortem, a sama chwyta garnek i maszerujemy do domu z Rufusem miotającym nam się pod nogami. Biedak nie może się zdecydować, który zapach jest wart większego zainteresowania – czekoladowy czy pomidorowy?

I w gruncie rzeczy wcale mu się nie dziwię.

Mama rzeczywiście się cieszy na widok zawartości zielonego garnka i w bardzo miłej atmosferze zjadamy obiad.

Potem nastaje jeszcze chwila spokoju, bo Mania z Krzysiem instalują w pokoju mały wigwam dla szopa Fryderyka (to urodzinowy prezent od Maliny). Drugi, większy wigwam jest dla Mani, ale w ogrodzie nie ma jeszcze warunków, żeby go rozstawić. Wprawdzie przestało padać i wiosenne słońce nareszcie budzi pierwsze krokusy, ale ziemia ciągle jest bardzo nasiąknięta wodą.

Dzieciaki bawią się doskonale, Misio coś czyta w kącie salonu, a mnie udaje się nawet wymyślić scenkę pod tytułem: *Pippi zjada mysz*.

Niestety ta sielanka nie trwa zbyt długo…

Najpierw pojawia się Iga, a zaraz po niej przybywają Leo i jej rodzeństwo – bliźnięta Korneliusz i Klementynka. Ich mama chce zostać i pomagać, ale Alina uśmiecha się mężnie i mówi:

– Na twoim miejscu skorzystałabym z chwili wolności…

Wydaje mi się, że mama Leo przyjmuje ten komunikat z wielką ulgą. Mamrocząc coś na temat zakupów w centrum handlowym, błyskawicznie wycofuje się z domu.

Korneliusza i Klementynkę bardzo trudno odróżnić (jak pamiętacie, miałam z tym poważne kłopoty podczas ostatniej Wigilii), ale teraz jest to już kompletnie niemożliwe. Wszystko z powodu strojów, jakie włożyli. Mają kombinezony w cętki, skrzydła, ogony, a na twarzach makijaż. Szczególną uwagę zwracają ogromne oczy, powiększone za pomocą brązowej kredki. W życiu nie widziałam takich zwierząt!

– Kim jesteście? – pyta Mania ze zdumieniem

– Lotokot – odzywa się chyba Korneliusz.

– Latoperz! – prostuje Klementynka (a może jednak jej brat?).

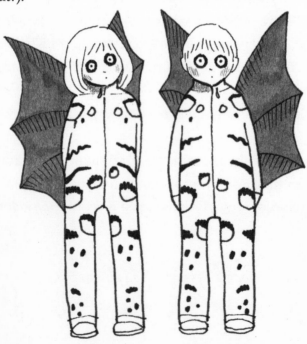

– Wyglądacie przecież jednakowo! Nie możecie różnie się nazywać! – Mania dziwi się coraz bardziej. My zresztą też.

– Lotokot!

– Latoperz!

Dwa precyzyjne i treściwe komunikaty nie pozostawiają cienia wątpliwości co do tego, że coś tu nie gra.

Leo już ma się zabrać do wyjaśniania, ale uprzedza ją profesor Misio. Co trzyma przed sobą? Nie muszę wam mówić… Oczywiście, że *Trzysta trzydzieści trzy najdziwniejsze zwierzęta*.

– Lotokot i latoperz to dokładnie to samo – mówi, a Korneliusz i Klementynka kiwają głowami z entuzjazmem. – Należą do rodziny lotokotowatych i mieszkają na terenie Tajlandii, Malezji i Chin. Duże oczy umożliwiają im widzenie w nocy… – Misio przerywa na chwilę. – Ale skrzydeł to one nie mają – zauważa.

– Z tym był kłopot – Leo wreszcie udaje się dojść do głosu. – Bo one mają błonę lotną pomiędzy palcami i tego nie udało nam się zrobić. Dlatego wymyśliliśmy skrzydła, bo przecież lotokoty szybują z drzewa na drzewo, żeby zjadać owoce.

– Pędy, pąki i kwiaty – uzupełnia mądry Misio.

– Lotokot! Latoperz! – powtarzają Korneliusz i Klementynka, tym razem jednocześnie, i z zagadkowymi uśmiechami wręczają Mani prezent. Kłaniają się przy tym bardzo nisko, zderzając się błoniastymi skrzydłami.

Patrzę na to wszystko i zastanawiam się, czy oni w ogóle jeszcze dzisiaj coś powiedzą. Miejmy tylko nadzieję, że nie będą próbowali szybować…

Mania dziękuje za prezent i zabiera bliźniaki do swojego pokoju.

– Ja też muszę się przebrać! – woła do nas.

– I Kisio! – upomina się młodszy kuzyn.

– Już się robi, synku! – Ciotka wyciąga z przedpokoju jedną z toreb. – Tutaj mamy wszystko, co potrzebne – mówi.

Misio oświadcza, że on jest już dorosły i nie będzie się przebierał jak jakiś przedszkolak. Iga, Leo i ja spoglądamy na siebie w milczeniu. Wygląda na to, że my trzy jesteśmy przedszkolakami, bo wyobraźcie sobie – mamy stroje. Zdecydowałyśmy, że jako pomocnice Maliny wcielimy się w tę samą postać. Nigdy nie zgadniecie jaką! Będziemy ponocnicami, czyli nocnymi małpami z rodziny szerokonosych. Ubieramy się po prostu na szaro, a wokół oczu malujemy białe plamy (tak żeby powstały trójkąty wychodzące aż na czoło) – to chyba najbardziej charakterystyczne dla ponocnic. Do tego jeszcze ogony i sprawa załatwiona.

Malina klaszcze z zachwytu, a kuzyn odczytuje nam stosowny fragment z książki. Pochodzimy z lasów Ameryki Środkowej i Południowej, a dokładnie z rejonu ciągnącego się od Panamy aż do północnej Argentyny.

Ciotka robi sobie dziwny makijaż upodabniający ją do myszy. Do tego wskakuje w jakąś workowatą szatę z białą

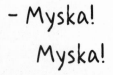 plamą na brzuchu. Długaśny ogon musi sobie zawinąć na szyi – jak szalik.

– Czy jesteś wielkim szczurem? – pyta Mania, która wraca do nas w swoim stroju.

– Nie! Jestem badylarką! – oświadcza Malina.

– Co ty pleciesz? – dziwi się mama.

– Z rodziny myszowatych – wyjaśnia ciotka.

– Zaraz, zaraz… – Misio w skupieniu wertuje strony. – Jest! – woła po chwili. – Mysz mieszkająca w zaroślach i trzcinach od zachodniej Europy po Syberię, Koreę, Chiny, Tajwan i Japonię…

– Kawał świata, co? – Malina wydaje mysie piski.

– Myska! Myska!

– cieszy się Krzysio.

On też nosi strój urodzinowy, który niepokojąco łączy cechy nietoperza i świni… Zastanawiam się, co się za tym kryje, a tymczasem Misio podaje kolejne rewelacje dotyczące badylarki:

– Długiego ogona używa jak kotwicy albo hamulca – do utrzymywania równowagi przy chodzeniu po łodygach roślin – mówi, wzbudzając entuzjazm swojej matki.

– To bardzo w moim stylu, nie sądzicie? Kotwica i hamulec w jednym! Jakie to ekonomiczne i jednocześnie pełne poezji!

Przyznam wam szczerze, że osobiście nie widzę absolutnie nic poetyckiego w mysich ogonach. Nawet tych długaśnych, należących do badylarek z Japonii.

– A ty, Maniu, jesteś szopem praczem! – oświadcza Misio tonem znawcy.

– OCZEWIŚCIE, że nie! Jestem pałanka kuzu! Lis workowaty! – Mania wygląda na bardzo dumną z siebie. W końcu nieczęsto się zdarza utrzeć nosa samemu profesorowi Sosnowskiemu.

Biedak grzebie w swojej książce w poszukiwaniu tego futrzastego stworzenia z rodziny pałankowatych. Mogę wam wszystko o nim opowiedzieć, ponieważ razem z Manią spędziłam długie godziny nad atlasami zwierząt w poszukiwaniu stworzenia podobnego do Fryderyka Szopena Pracza. Moim zdaniem ta pałanka jest także podobna do Mani – podobnie jak ona agresywnie walczy, kiedy trzeba, i wydaje ostrzegawcze dźwięki (głośne skrzeki, gwizdy, pomruki i warknięcia). Na pewnych obszarach bywa szkodnikiem niszczącym zbiory. Zapewniam was, że istnieją takie obszary, na których i Mania potrafi nieźle nabroić…

– Jest! Rzeczywiście! Pałanka kuzu...

– powtarza Misio w zadumie. –
Mieszka w Australii i Nowej Zelandii. Ma bardzo piękne futro, ukrywa się w starych gniazdach i norach.

– Właśnie! Pora zbudować wielką urodzinową norę w salonie! Zgadzasz się, ciociu badylarko?

– Pi! Pi! Pi! – Malina kiwa głową i macha długim ogonem tak, że zagarnia nim maluchy: Krzysia, Klaudiusza, Klementynkę i Manię. Wszyscy chichoczą, a ja korzystam z okazji, by zapytać o Krzysia.

– Krzyś to ryjkonos malutki, z rodziny ryjkonosowatych – wyjaśnia Misio bardzo chętnie. – Najmniejszy nietoperz na świecie, który jest wielkości trzmiela i mieszka w Tajlandii. Posiada krótki kciuk z dobrze rozwiniętym pazurem, a tylne stopy ma długie i wysmukłe.

Kiwam głową z podziwem, kiedy Misio pokazuje mi ilustrację. Nie rozumiem tylko, jak coś o rozmiarach trzmiela może mieć długie i wysmukłe tylne stopy? Przedziwny jest ten świat zwierząt, nie sądzicie?

Zostawiam kuzyna z jego pasjonującą lekturą i lecę do pozostałych ponocnic, które pomagają budować norę dla Najdziwniejszych Zwierząt Świata. Udaje nam się utworzyć coś, co przypomina wielkie gniazdo z poduszek otoczone parawanem plażowym, gdy niespodziewanie dochodzi do ataku zbiorowej paniki. Jak zwykle wszystko przez Manię.

Moja siostra wydaje z siebie ostrzegawczy pomruk, godny pałanki kuzu.

– Ciii! – dodaje w ludzkim języku. – Słyszycie?

– Co to? – pyta Korneliusz. – A jednak zdecydował się rozszerzyć słownictwo! Brawo!

– GRZEKOTNIK!

– oświadcza Mania grobowym głosem.

– Aaaa! – krzyczy Korneliusz i rzuca się do ucieczki.

– Wąż! Ratunku! – piszczy Klementynka.

– Iiiiii! – dołącza do niej Krzysio.

– Uspokójcie się. To kot! – próbuję tłumaczyć, ale jest za późno. Dzieciaki rozbiegają się po całym domu, a Mania chichocze, zadowolona ze swojego niemądrego żartu.

W tej właśnie chwili rozlega się dzwonek i pojawiają się kolejni goście. Jest to cała banda chłopców przywieziona przez jedną, nieco przestraszoną kobietę.

Nie uwierzycie, ale po tym, jak nowo przybyli zdejmują kurteczki, okazuje się, że wszyscy są... Batmanami.

– A to niespodzianka! – śmieje się Malina. – Nie wiedziałam, że Batman zalicza się do najdziwniejszych zwierząt świata!

– Oni się bawią tylko w Batmana, ciociu... – skarży się Mania.

– A wy się bawicie tylko w królestwo kucyków Pony! – odgryza się pierwszy Batman.

– Ale każdy Batman jest inny! – zaznacza nieśmiało kobieta, która okazuje się mamą Oliwiera. – No, Oliwier, powiedz, jakim jesteś Batmanem – zwraca się do naburmuszonego chłopca. – Powiedz, proszę...

– Batman leśny – mruczy niechętnie Oliwier, prezentując nam liście przypięte do czarnej peleryny.

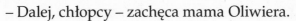

– Dalej, chłopcy – zachęca mama Oliwiera.

– Batman polarny – przedstawia się posłusznie malec z białym futerkiem pod szyją. Wygląda to trochę tak, jakby miał obrożę.

Z trudem powstrzymuję się od wybuchu śmiechu, słysząc jeszcze o Batmanie pustynnym (na jego pelerynie naklejono koślawy rysunek kaktusa) oraz morskim (miejsce kaktusa zajmuje coś, co po dłuższej analizie może kojarzyć się ze statkiem, ale trzeba się naprawdę dobrze przyjrzeć).

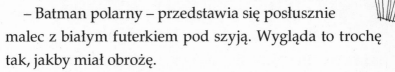

– Brawo dla najdziwniejszych Batmanów na świecie!!!

– woła Malina i zaczyna klaskać. Przyłączamy się do niej wszyscy, ale chłopcy są tym najwyraźniej speszeni.

– Czy znajdą się w tym domu jakieś cukierki? – pyta prosto z mostu Batman polarny i Mania prowadzi towarzystwo do jadalni, gdzie przygotowaliśmy stół ze smakołykami.

– To ja już ich zostawię – mówi mama Oliwiera. – Po każdego przyjadą rodzice… I naprawdę przepraszam, ale nic się nie dało zrobić w sprawie kostiumów… Uparli się na tego Batmana jak stado osłów…

– O, ja to doskonale rozumiem. – Alina się uśmiecha i proponuje gościowi kawę, ale nic z tego nie wychodzi.

Mam wrażenie, że rodzice zosta-
wiający u nas dzieci w głębi serca
marzą tylko o jednym – jak najszybciej
stąd uciec i znaleźć się na jakimś bezpiecznym gruncie.
Nie sądzicie?

Wkrótce do zabawy dołączają jeszcze koleżanki Mani,
ale chyba nie wszystkie. W ogóle dzieci jest jakoś podejrzanie mało, choć może to i lepiej?

Mamy więc Anastazję (w sukience w rude paski i rękawiczkach, do których doszyto długie, kolorowe pazury
– udaje pazurogona rudopręgiego z rodziny kangurowa-
tych), Samantę (twierdzi, że jest kuskusem – co mnie kojarzy się jedynie z kaszką, ale Misio szybko przychodzi z pomocą i okazuje się, że takie zwierzę naprawdę istnieje!),
Nikolę (wielkie koła wokół oczu mają ją upodabniać do
wyraka upiora) oraz Żanetę (w szarawym futerku w czar-
ne plamy), która oznajmia, że jest żenetą zwyczajną.

– No pewnie, że jesteś Żanetą zwyczajną. Taką jak zawsze – komentuje Mania, wzruszając ramionami.

– Ale ja jestem ŻE-NE-TĄ! – upiera się
mała, tupiąc nogą.

– Ma rację! – woła natychmiast
Misio i wyjaśnia nam, że żenety
pochodzą z rodziny łaszowatych
i są bardzo sprytnymi drapieżnikami.

Waneska, Laurka i Penelopka przychodzą ostatnie (pewnie dlatego, że mieszkają najbliżej) i ograniczają się jedynie do nałożenia sobie na głowy masek na gumkach. O ile mnie wzrok nie myli, nad czołami sąsiadek widnieją następujące pyski: wilka (Waneska), żmii (Penelopka) oraz czegoś z rogami zawiniętymi na końcach (Laurka).

– Miałyśmy za mało czasu, żeby przygotować całe przebrania – tłumaczy się Waneska, a ja mówię, że to nic nie szkodzi, bo przecież najbardziej liczy się dobra zabawa.

No i wkrótce się ona rozpoczyna. Następuje uroczysty taniec na otwarcie, a potem każde zwierzę może zaprezentować swoje wyjątkowe umiejętności (większość ogranicza się do wydawania upiornych dźwięków, które obudziłyby umarłego).

Podczas tradycyjnych konkursów z nagrodami przygotowanych przez Malinę wymykam się do ogrodu, by zapalić lampiony. Ciotka chciała przeprowadzić tam

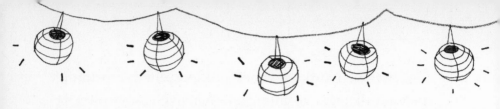

małą akcję artystyczną pod hasłem *Zwierzęta skradają się nocą* i prosiła, by przygotować oświetlenie. Zmierzch właśnie zapada i pachnie wiosną! Nie jest jeszcze bardzo ciepło, ale znacie na pewno ten wiosenny chłód niosący obietnicę słońca, kwiatów, motyli i pszczół. I pierwszego ciepłego deszczu, po którym wszystkie trawniki oddychają z ulgą i nabierają zielonych rumieńców. Dosłownie na sekundę wspinam się na moją gałąź. Doskonale widać z niej wielkie okno salonu i biegające po nim najdziwniejsze zwierzęta.

„Nie jest nawet aż tak źle" – myślę sobie i wkrótce stwierdzam, że jednak nie miałam racji…

Zaczyna się od tego, że jeden z Batmanów wylewa na Rufusa szklankę soku pomarańczowego, a ten, otrzepując się, plami futro żenety zwyczajnej. Żeneta (jako waleczny drapieżnik) rzuca się na Batmana, potrącając przy tym drugiego Batmana, a temu z pomocą przychodzi trzeci. Rufus szczeka zajadle, moim zdaniem raczej dla zasady, bo dredy skutecznie chronią go przed wszelkimi opadami atmosferycznymi (także ulewą z soku pomarańczowego), a Korneliusz błyskawicznie wspina się na szafę, ponieważ boi się psiego ujadania. A może raczej powinnam powiedzieć, że lotokotowi udaje się poszybować w kierunku szafy?

W każdym razie to naprawdę wielkie szczęście, że jest tu Leo i może zająć się negocjacjami. Bo jak się domyślacie, siedzenie na szafie to wyjątkowa atrakcja i po chwili każdy Batman chce się znaleźć obok Korneliusza. Iga i Waneska prowadzą zapłakaną Żanetę do łazienki, by zmyć pomarańczowe cętki z jej futerka.

Po ogrodowej akcji ciotki (w świetle lampionów) przychodzi pora na tort. Pomagam właśnie w poszukiwaniu świeczek, które gdzieś się zapodziały, gdy dzwoni telefon.

– Jak miło panią słyszeć! – Mama uśmiecha się do słuchawki. – Chorują? No tak… Rzeczywiście gości przyszło mniej, niż przewidywaliśmy… Ale nie wiedziałam, że to z powodu rotawirusa… Patryk w szpitalu?! Ojej! Oczywiście. Zwrócę uwagę na Manię. I przekażę wszystkim pozdrowienia. Na pewno. Na razie bawią się świetnie i nie widzę tu absolutnie nic niepokojącego.

Żadnych objawów chorobowych. Do zobaczenia. Bardzo dziękuję!

Mama odkłada słuchawkę i ciężko opada na krzesło.

– Coś się stało? – pytam.

– Rotawirus w przedszkolu – odpowiada NIH zbolałym głosem.

– A! To dlatego nie ma połowy dzieciaków – mówię, rozkładając łyżeczki.

Mama przez długą chwilę wpatruje się w ścianę.

– Jakoś dziwnie się czuję – odzywa się w końcu i natychmiast biegnie do łazienki.

Tort Mani jest wyjątkowy. Dokładnie tak, jak obiecała Malina, a nawet bardziej. Nie dość bowiem, że ma kształt szopa pracza, to jeszcze umieszczono na nim zdumiewający napis z lukru – MANIA 4 LATA BEZ ALKOHOLU.

– Co tu jest napisane dokładnie? – dopytuje się jubilatka.

– Mania cztery lata bez alkoholu – czytam, z najwyższym trudem zachowując powagę, a co poniektórzy chichoczą.

– Ale to nieprawda! Tort kłamie! Piłam szampana w sylwestra! – oburza się moja siostra.

– A ja piłem piwo na imieninach taty! –
chwali się Batman pustynny.

– Jesteście ANKOHOLICY!

– oburza się Anastazja.

– To moja wina! – śmieje się ciotka. – Zależało mi,
żeby tort był zupełnie bez alkoholu, i widocznie coś
musiałam źle zapisać na kartce, którą mi podano…

– Ciekawe, czy na pewno nie ma w nim ani kro-
pli alkoholu – cedzi z ironią Alina, umieszczając w torcie
cztery świeczki.

Kiedy zostają szczęśliwie zdmuchnięte, przechodzi-
my do konsumpcji. Odnajduje się nawet Muffin – do tej
pory siedział w sobie tylko znanym miejscu, nie chcąc
zawierać znajomości z najdziwniejszymi zwierzętami.

Tata, który miał bardzo pracowite popołudnie (sfotografował każdego ze sto razy), siada obok mnie ze swoim talerzykiem.

– Całkiem wesoło w tym naszym zoo – mówi, oblizując łyżeczkę.

Kiwam głową, ale po chwili okazuje się, że może być jeszcze weselej.

Wszystkie ponocnice zostają postawione w stan gotowości, gdyż zwierzęta nagle zaczynają chorować. Pierwszy biegnie do łazienki Batman polarny, a tuż za nim morski. Kiedy już obie łazienki są zajęte, pazurogon rudopręgi wymownie zatyka sobie usta dłonią w rękawiczce.

Ten czytelny znak sprawia, że chwytam zwierzę i biegnę z nim do kuchennego zlewu.

– Nie macie w domu jakiegoś wolnego nocnika? – pytam Waneskę, słysząc, że Korneliuszowi chce się siusiu.

– Mamy. Z kaczuszką. Laurki – odpowiada sąsiadka i bez słowa leci po nocnik.

– My przecież także trzymamy gdzieś stary nocnik w kształcie żółwia – przypomina sobie Alina i pędzi do piwnicy.

Kiedy pierwsi rodzice pojawiają się na horyzoncie, w naszym domu nie ma już ani jednej rolki papieru toaletowego, a część gości popija miętę z papierowych kubeczków.

– No i jakie zwierzę było twoim zdaniem najdziwniejsze? – pytam Manię, gdy wreszcie zostajemy sami.

– Ten ROTOWIRUS! – odpowiada natychmiast moja siostra.

– Był zupełnie niewidzialny,
ale za to bardzo drapieżny.

DRAPIEŻNIEJSZY niż ŻANETA zwyczajna.

7. FOTOSZOP PRACZ

Ku radości NIH nikt z naszej rodziny nie zaraża się przedszkolnym rotawirusem. Nie atakuje on także naszych sąsiadek ani Leo, Klementynki i Klaudiusza. Jedynie Misio i Krzysio mają przez chwilę pewne dolegliwości, ale błyskawicznie im przechodzi. Kiedy wiadomo już na sto procent, że wszyscy są zdrowi (nawet dzieciaki z grupy Mani), mama mówi z dumą:

– To było w gruncie rzeczy bardzo udane przyjęcie urodzinowe.

Ja też się cieszę, że nie chorujemy. Po pierwsze – to nic przyjemnego, a po drugie – nareszcie jest prawdziwa wiosna! Z baziami na wierzbowych gałązkach, pierwszym motylem cytrynkiem, pszczołami w kielichach krokusów, niezliczonymi zielonymi kiełkami. Właściwie każdego dnia w ogrodzie dzieje się coś nowego.

Dzisiaj na przykład pojawiły się główki szafirków. Wyglądają jak malutkie grzybki, które dopiero co wychyliły się nieśmiało z ziemi – same śliczne, twarde czubeczki – całe jakby z drobniutkich kuleczek. Uwielbiam szafirki w każdej fazie ich rozwoju, ale chyba najbardziej wtedy, kiedy są już szafirowe, cierpkawo pachnące i mokre po deszczu. Wtedy ich kolor jest najpiękniejszy.

Muffin z zainteresowaniem obwąchuje ziemię, zupełnie jak pies.

– Zobaczysz, Zosia… On za chwilę podniesie łapę i obsika krzaczek, tak samo jak ROSÓŁ! – cieszy się moja siostra.

– Patrzcie, dziewczynki! Wszystkie powschodziły! – woła do nas mama.

Znajduje się właśnie w rejonie Jeziora Fryderyka, gdzie umieściła jakieś szczególnie cenne cebulki kupione w sklepie wysyłkowym. Jak pamiętacie – drżała o ich los. Okazuje się, że zupełnie niepotrzebnie. Nie wyglądają wcale na poszkodowane, kiedy mama je nam pokazuje, skacząc z radości. Cieszy się zupełnie jak Malina, szkoda tylko, że częściej jej się to nie zdarza…

– No to MARZENA będzie miała piękny ogród na swojej BAJORCE! – obwieszcza Mania z satysfakcją.

I ma rację – rabaty Aliny znajdują się dokładnie u stóp naszej Marzanny, która ciągle znakomicie wygląda. Nawet delikatny wiosenny deszczyk jej nie zaszkodził.

– To wy się tu pobawcie, a ja skoczę po zakupy – mówi Alina, rozglądając się na wszystkie strony. Założę się, że kombinuje, gdzie by tu jeszcze można było wsadzić jakąś roślinę.

– Do ogrodniczego? – pyta Mania z uśmieszkiem.

– Och, nie tylko…

Policzki Aliny pokrywają się rumieńcem – została zdemaskowana! Pamiętacie na pewno, że jej najulubieńszą rozrywką jest przebywanie w sklepach pełnych doniczek, sadzonek, nasion, łopat i worków z ziemią, co moim zdaniem odbywa się kosztem rodziny, pracy oraz zdrowia (bo mama czasem potrafi zapakować ze trzy tony zakupów do bagażnika).

– Przecież dzisiaj przyjeżdżają Malina i chłopcy... Muszę kupić to i owo... – Mama plącze się w zeznaniach.

– I koniecznie myszy w Cytrynowej! Dla każdego po jednej! Proszę... – Mania postanawia wykorzystać sytuację i Alina zgadza się na ciastka od razu (choć, jak wiecie, słodycze są u niej na czarnej liście).

– Wiesz, Maniu... – mówię, gdy za mamą zamyka się furtka. – Może byśmy się wzięły do naszych prac konkursowych? Czasu nie zostało zbyt wiele, a wiosnę trzeba fotografować, póki jest...

– To ona zniknie? – dziwi się dzieciak.

– No, całkiem to nie, ale wiesz, jak bywa z pogodą. Zawsze może się popsuć...

– A pomożesz mi troszkę?

– Dobrze – zgadzam się chętnie, bo do mojego projektu najbardziej potrzebne są mysie ciastka i nasza cukiernia. Przyda się też kilka zdjęć domu i ogrodu. I koniecznie muszę sfotografować swoje ulubione drzewo, na którym siedzi sobie teraz w najlepsze Muffin. Właśnie... Że też wcześniej na to nie wpadłam! On świetnie się nadaje na spotkanie z Pippi!

– Zosia... Słuchaj... Ja nie wiem, jak zrobić z Pana Fryderyka tego bohatera... No...

– Literackiego – podpowiadam.

– Właśnie…

– Nic dziwnego. Bohater literacki jest opisany w książce, a ty przecież nie umiesz jeszcze pisać…

– I co teraz? – Mania jest najwyraźniej przygnębiona.

– Nie martw się! Narysujesz scenki z wiosennymi przygodami szopa w Łomiankach, a potem sfotografujemy te miejsca, które wybrałaś, i podyktujesz mi krótką historyjkę.

– A pan Fryderyk Pracz też będzie na zdjęciach? – upewnia się Mania.

– Wszędzie gdzie tylko zechcesz – mówię w nadziei, że dzieciak zajmie się rysowaniem.

– Hurra! – Mania podskakuje z radości i pędzi do pokoju. Mam więc czas, by napisać to, co właśnie przed chwilą przyszło mi do głowy. Posłuchajcie:

PiPPi W ŁOMiANKACH

Pewnego razu, gdy mój statek zawinął do Łomianek, okazało się, że potrzebujemy jeszcze jednego marynarza na pokładzie.

– Czemu nie rozejrzeć się tutaj? – zapytałam tatusia.

On roześmiał się głośno i powiedział:

– No, no, moja mała Pippi. Założę się, że znajdziesz tu jedynie same marne szczury lądowe, które na statku będą tylko cierpieć na chorobę morską...

– Nie znasz mnie, tatusiu! Ja, Pippilotta Viktualia Firandella, znajdę ci nowego marynarza. Daj mi na to dwie godziny!

To mówiąc, dałam susa na ląd, łapiąc po drodze Pana Nilssona i kilka złotych monet, na wszelki wypadek.

Powędrowaliśmy przez piękne zarośla, ciągnące się nad rzeką. Było tam zupełnie jak w dżungli,

155

daję słowo! Trochę dalej natknęliśmy się na drzewa
pokryte puchatymi baziami. Niektóre były już żółte
od pyłku i Pan Nilsson wysmarował sobie nimi cały
nos!

Nie wiem dlaczego, ale w krzakach leżało sporo
śmieci. Może to taki narodowy zwyczaj? Chociaż nie
powiem, żeby mi się specjalnie podobał. Natychmiast
postanowiłam zostać zbieraczem-odkrywcą, i to,
co się dało, zapakowałam do worka na
skarby, który zawsze ze sobą noszę.
Nigdy przecież nie wiadomo, kiedy
człowiek znajdzie prawdziwy skarb,
prawda? Zwłaszcza że naprawdę
wszystko może nim być!
   W pewnej chwili minął nas jakiś
kosmita na rowerze. Miał na sobie
kombinezon i świecący kask. Pomachałam do niego,
ale był chyba zbyt zamyślony, żeby mnie zauważyć.
   Trochę się zgubiliśmy, ale w końcu udało nam
się znaleźć drogę. Ucieszyłam się, gdy przeszliśmy
obok stadniny koni. Gdyby tatuś zechciał zostać tu do
jutra, może bym sobie pojeździła? Bardzo tęsknię za
moim koniem, który został w Willi Śmiesznotce...

Jak się domyślacie, mimo długiej wędrówki nie udało nam się natknąć na żadnego przyszłego marynarza.

Zaczepiłam wprawdzie jakiegoś pana, który orał swoje pole (nie wiem, jak mu się to udawało, bo miejscami było pełne błota), i zapytałam, czy nie chciałby pływać na moim statku. Ale on się tylko roześmiał i odparł:

– Już ja wolę pływać po moim własnym polu.

– Co kto lubi! – powiedziałam i dowiedziawszy się, którędy do miasta, powędrowałam dalej.

Łomianki nie są zbyt duże, ale ulubionym zajęciem mieszkańców musi być chyba robienie zakupów, bo minęłam mnóstwo sklepów, a na jednym ładnym bazarze kupiłam sobie obwarzanki, cukrowego baranka i bukiet żonkili. Żółty kolor jest bardzo wesoły! Dlatego zastanawiałam się jeszcze nad żywym kurczaczkiem, ale Pan Nilsson się nie zgodził. On bywa czasem okropnie zazdrosny...

Nikt na bazarze nie chciał zostać marynarzem, więc poszłam dalej.

Teatr mieli akurat zamknięty, a szkoda. Jestem pewna, że aktor by mi nie odmówił. W końcu grywa różne role, prawda? Co by mu szkodziło pograć sobie na statku przez jakiś czas?

W bibliotece poczułam się jak w domu, bo znalazłam tam Willę Śmiesznotkę i mnóstwo książek o mnie! Nie sądziłam, że tyle tutaj wiedzą na mój temat...

Miałam szczęście, bo biblioteka była pełna dzieci, które malowały jajka. Ale jakie! Nie podejrzewałam, że kury w Łomiankach są olbrzymkami. Jedna dziewczynka wytłumaczyła mi, że to jaja strusie, więc trochę się zdziwiłam, że tak szybko dopłynęliśmy do Afryki. Zapytałam, czy mają tu gdzieś także lwy, ale niestety nie mieli.

Druga dziewczynka, Zosia, zaproponowała, że mi pomoże szukać marynarza. To było naprawdę bardzo miłe. Szłyśmy razem szeroką ulicą, i zauważyłam, że tutaj panie, zamiast torebek, noszą koszyki z jajkami, kiełbasą i chlebem, do tego najczęściej ozdobione kwiatkami i jakimiś zielonymi badylami. Panowie tak samo. Dziwne...

158

Ponieważ trochę zgłodniałam, zaczepiłam
jakąś babcię i poprosiłam o kawałek kiełbasy
(podejrzałam, że w koszyku ma aż
dwa), ale wyobraźcie sobie, że nie
chciała się ze mną podzielić! Zrobiła
tylko zdziwioną minę, zaczęła wymachiwać wolną
ręką na wszystkie strony i coś wołać tak głośno, że
aż Pan Nilsson w końcu się odezwał. Wtedy kobieta
uciekła wystraszona. Zosia bardzo się z tego śmiała
i wytłumaczyła mi, o co chodzi z tymi koszykami.
Po prostu był to wielkanocny zwyczaj, i tyle.
A potem powiedziała, że zaprasza mnie
na obiad do swojego domu przy
Kociej 5.

Ale się ucieszyłam! Z radości
podniosłam ją wysoko i podrzuciłam
trzy razy, a wtedy zatrzymała się
przy nas straż miejska i panowie w mundurach
oświadczyli, że nie wolno się podrzucać na
ulicy. Dziwne miasto, naprawdę. Co komu szkodzi
podrzucanie? Przecież w ten sposób nie ubywa
nikomu miejsca na chodniku...

Kiedy łapałam Zosię ostatni raz, mój wzrok
zatrzymał się na jakiejś smakowitej wystawie
pełnej pyszności.

– Jadasz ciastka przed obiadem, Pippi? – zapytała Zosia.

– Czy jadam ciastka przed obiadem? Ależ ja je pożeram, połykam i pochłaniam wyłącznie przed obiadem! – zapewniłam.

Wstąpiłyśmy do cukierni i wyobraźcie sobie, że zjadłam tyle myszy, aż mnie brzuch rozbolał. Trochę w tym mojej winy, bo postanowiłam napchać się na zapas. Nigdy nie wiesz, kiedy trafi ci się kolejna taka gratka. Myszy nie wyrastają, jak grzyby po deszczu, o, nie!

Zosia była chyba nieco przerażona moim apetytem i zachowaniem Pana Nilssona, który wysmarował sobie cały pyszczek bitą śmietaną. Ale on z bitej śmietany najbardziej lubi właśnie to – smarowanie twarzy. Po myszach kompletnie odechciało mi się jeść, więc wzięłyśmy rowery z garażu Zosi i nowa koleżanka pokazała mi swoje ulubione miejsca. Jeziorko, nad którym kwitły kaczeńce (jeszcze bardziej żółte niż żonkile!), i prawdziwą puszczę z szumiącymi drzewami, na których wisiały zielone woalki pierwszych listków.

W krzakach zauważyłam śmieci i pozbierałyśmy je znowu, a ja zapytałam, czemu śmieci wyrzuca się akurat tutaj.

Zosia wytłumaczyła mi, że to wcale nie jest żaden narodowy zwyczaj, tylko raczej wielki wstyd dla wszystkich mieszkańców.

W pewnej chwili z krzaków wyłonił się ogromny łoś z Panem Nilssonem siedzącym mu na rogach.

– Zaprzyjaźnili się – wyjaśniłam zdumionej tym widokiem koleżance.

Zosia nie wiedziała, że Pan Nilsson zawiera w ten sposób mnóstwo znajomości, gdziekolwiek jesteśmy. Gdy nie spotkał w lesie żadnego ze swoich krewnych, błyskawicznie rozejrzał się za nowym kolegą. Łoś wskazał porożem nasz worek ze skarbami i powiedział, że jest z nas dumny. Dodał jeszcze, że przywracamy mu wiarę w człowieka.

Potem pojechałyśmy na łąki, by upleść wianki z mleczy dla nas i dla Pana Nilssona. On dostał malutki, który idealnie mieścił się na jego kapelusiku.

161

Z tego wszystkiego zupełnie zapomniałam
o szukaniu nowego marynarza! Zosia stwierdziła, że
słabo to widzi i że najpierw musimy coś przekąsić.

Jadłyśmy paszteciki na ulubionym drzewie Zosi,
w jej ogrodzie. Musiałam obejrzeć wszystkie krokusy,
żonkile, tulipany i hiacynty, które wyrosły z okazji
wiosny.

Potem pokazałam, jak wspinam się po rynnie na
dach. Na górze spotkałam kota, który wyglądał mi
na psa. I to takiego, co marzy o tym, by na jakiś czas
zostać marynarzem.

Kiedy go o to zapytałam, od razu się zgodził
i z radości zaszczekał.

— Muffin marynarzem? — zdziwiła się Zosia, a kot
spojrzał na nią błagalnie. — Czemu nie — powiedziała
po chwili namysłu. — Tylko obiecaj, Pippi, że będziesz
na niego uważać i wrócicie za trzy miesiące. Akurat
wtedy zabieramy Muffina na wakacje.

Z radości znowu podrzuciłam Zosię jak najwyżej,
a sama fiknęłam trzy kozły w powietrzu.

Pożegnałyśmy się bardzo serdecznie i obiecałam przysyłać pocztówki z każdego portu, do jakiego zawiniemy.

Po powrocie na statek spytałam z chytrym uśmieszkiem:

– I co, tatusiu Efraimie? Ciągle myślisz, że to miasto pełne jest marnych szczurów lądowych?

– A powinienem zmienić zdanie?! – huknął tatuś.

– No pewnie! I to jeszcze jak! Masz tu przed sobą prawdziwego łomiankowskiego kota i psa morskiego w jednym! Nigdzie na świecie nie ma takiego drugiego!

– Hraumiau! – potwierdził moje słowa Muffin Marynarz.

Zastanawiam się właśnie, czy takie zakończenie wystarczy, gdy do ogrodu wpada Mania z gotowym komiksem.

– Zobacz! – woła z dumą, a ja przyglądam się uważnie rysunkom.

– No to do dzieła, zrobimy wszystko dokładnie tak jak tutaj. O ile się da – dodaję na wszelki wypadek, bo może niechcący przeoczyłam jakiś istotny szczegół.

Idziemy więc po aparat i zabieramy się do pracy.

Proponuję Mani, żeby dla wygody utworzyć sceny z krótkimi opisami. Po długich godzinach (i przerwie na spóźniony obiad – zgadnijcie, o której wróciła mama?) udaje nam się skompletować kilka obrazków z wiosennego życia Fryderyka Szopena Pracza w Łomiankach.

Oto one:

Scena pierwsza
Za górami, za lasami,
w Łomiankach, mieszkają,
różne zwierzęta –
kurczaki, pisklęta sikorek,
bociany i jeden Fryderyk,
który jest szopem praczem.

Fotografia przedstawia szopę Fryderyka umieszczoną w trawie. Obok znajdują się: puchaty sztuczny kurczak, ogromny drewniany bocian i ptasie gniazdo z sikorkami wykonanymi z plasteliny. Ulepienie ptactwa zajęło nam trochę czasu…

Scena druga
Pewnego dnia bocian Benek mówi:
– Wiesz, Fryderyk, że w Łomiankach
powstała nowa wyspa?
– A jak się nazywa? – pyta szop.
– BAJORKA – odpowiada Benek.
– POLECISZ mnie tam? – prosi Fryderyk.
– OCZEWIŚCIE! – zgadza się Benek.

Fotografia jest taka, że pęklibyście ze śmiechu. Na naszym starym bocianie z drewna stojącym na jednej nodze (to prezent, który babcia Zelmer przywiozła nam z wycieczki autokarowej *Śladami orlich gniazd*, i obie do dziś nie możemy zrozumieć, dlaczego to bocian, a nie orzeł) mości się szop Fryderyk z małym plecaczkiem przytroczonym do grzbietu. Do ogona przypięty ma bilet lotniczy z nazwą linii – BOCIANLOT.

Scena trzecia
– To tutaj. Kocia 5 – mówi
Benek i lądują na BAJORCE.
Jest tu dużo owoców, kwiatów
i jedna bardzo piękna łomiankowska kobieta.
– Kim jesteś? – pyta Fryderyk Pracz.

– Mam na imię MARZENA – odpowiada kobieta. – Kiedyś nazywano mnie ŚMIERDKĄ, ale to stare czasy. Teraz jestem MISS BAJORKI.

Na fotografii widzimy poczciwą Marzannę w eleganckim stroju i znajomą wyspę. Obok stoją Benek i Fryderyk.

Scena czwarta
– Czy masz jakieś marzenie? – pyta Fryderyk.
– Chcę nowy wiosenny kapelusz z O-SIÓŁ – mówi Miss BAJORKI.
– Z czego? – nie rozumie Benek i szop mu tłumaczy, że to taki wielki sklep pod lasem, gdzie mają wszystko.
– I mrożone żaby też? – pyta Benek.
– Tak, francuskie – odpowiada szop.
– To lecimy – decyduje Benek.
I lecą do O-SIÓŁ po kapelusz i żaby.

Wykonanie żaby dla Benka wykracza nieco poza moje możliwości, więc używamy jednej z plastikowych skaczących żabek (wypożyczamy ją do zdjęcia z pudełka zawierającego grę o takiej właśnie nazwie). Moim zdaniem żabka jest trochę za mała i postanawiamy powtórzyć tę fotografię, jak tylko pojawi się Malina i doradzi nam coś lepszego. Nie zdziwię się, jeśli ciotka zna prosty sposób na szybkie wykonanie zielonego płaza przy użyciu niezbyt wyszukanych materiałów.

Na fotografii do sceny czwartej mamy więc Benka z żabą zaczepioną na dziobie (przypomina to raczej plamę i sugeruje, że bocian jest brudasem i nie mył dzioba od tygodni), Marzannę w ukwieconym kapeluszu słomkowym Aliny oraz Fryderyka Szopena Pracza z gazetką firmową największego centrum handlowego w Łomiankach.

Scena piąta

– No to teraz, kiedy już jestem naprawdę elegancka, czas, żeby nadeszły święta – mówi MARZENA w kapeluszu.

– Będą mazurki? – pyta Fryderyk Szopen Pracz.

– I pisane jajka? – pyta Benek.

– I żadnych śledzi, bo one na szczęście nie występują na BAJORCE! – cieszy się Marzena, która nie lubi śledzi.

Potem zjadają święconkę na wyspie razem z zaproszonymi królikami. Jest wiosna i żyją długo i szczęśliwie.

KONIEC

Sfotografowanie sceny piątej teoretycznie nie powinno przysparzać większych kłopotów, ale okazuje się, że jest inaczej. Mania się upiera, by przygotować w ogrodzie cały wielkanocny stół z zastawą i daniami, a ja nie mam już na to siły. Ostatecznie wygrywa pomysł obrusu na trawie ze zgromadzonymi wokół pluszowymi królikami z naszych zbiorów, z Twarożkiem na czele. Na obrusie ustawiamy wszystko, co kojarzy nam się z Wielkanocą – jajka, koszyczek z tradycyjną zawartością, palemkę w wazonie, czekoladowego królika, którego Mania dostała na urodziny i jeszcze nie zjadła.

– No... ładnie nam to wyszło! – mówi dzieciak, gdy podziwiamy w aparacie efekt wspólnej pracy. – Na pewno pan Fryderyk i ja zgarniemy główną nagrodę! Ale wtedy się z tobą podzielimy! Dziękuję, Zosiu!

– Och! To miłe z twojej strony! Tylko wiesz... Trzeba by jeszcze wymyślić jakiś tytuł dla tej pracy.

– Tytuł? – Mania zastanawia się przez chwilę. – FOTO-SZOP, OCZEWIŚCIE! – woła, a ja zaczynam się śmiać.

8. OWSIK DLA BARANKA

Wielkanoc zbliża się wielkimi krokami.
Nic więc dziwnego, że w końcu trzeba
pomalować te strusie jaja w bibliotece.

Idziemy całą bandą, razem z Maliną i chłopakami, Leo
i bliźniętami, Igą i Waneską. Laurka i Penelopka twierdzą
zgodnie, że malowanie jaj nie jest zajęciem odpowiednim
dla przyszłych celebrytek.

– Ależ to może być bardzo artystyczne – tłumaczę im.

– I możecie na tych jajkach namalować te wasze gwiazdy, OCZEWIŚCIE – kusi sąsiadki Mania, ale one nie dają
się przekonać.

Może to i lepiej? Najgorzej robić coś niechętnie. Wiele
razy miałam okazję zauważyć, że to nie ma żadnego sensu. Weźmy na przykład sprzątanie... Gdyby ludzie robi-
li porządki z większym przekonaniem, może w domach
by się tak szybko nie brudziło? Kto wie? Ale pokażcie mi
osobę, która sprząta swój pokój z przekonaniem. Znacie
taką? Bo ja nie...

– Wiesz, Zosiu... – odzywa się nagle Waneska, kiedy idziemy w stronę biblioteki ładną uliczką, gdzie właśnie kwitną forsycje. – Jak powiedziałaś o tych artystycznych jajkach, to tak mi przyszło do głowy, żebyśmy w tym roku zrobili niepowtarzalne pisanki. No bo co zwykle jest na takim jajku?

– Często ptasia kupa. – Mania traktuje to pytanie zbyt dosłownie, a gdy wybuchamy śmiechem, poprawia się natychmiast. – To znaczy jej resztki, OCZEWIŚCIE.

– Miałam na myśli pisanki, Maniu – wyjaśnia Waneska.

– A! To czemu nie mówisz od razu? Są tam króliki i listki – mówi moja siostra.

– Bazie i różne wzorki – dodaje ciotka.

– Kurczaki i napis „Wesołych świąt" – dorzuca Misio.

– Naklejki – włącza się do rozmowy Klementynka.

– Sianko – solidarnie odzywa się Klaudiusz, ale moim zdaniem mylą mu się świąteczne tradycje.

Mania także to zauważa.

– Sianko to jest pod obrusem – mówi.

– Sianko! – z uporem powtarza malec.

– Może Klaudiuszowi chodzi o takie słomki, którymi ozdabia się skorupki? Do tego czasem dołącza się bibułki, nasionka i powstają bardzo ekologiczne pisanki – wyjaśnia Malina.

– Sianko, sianko! – Klaudiusz zgadza się z nią entuzjastycznie.

– Tak... Sami widzicie, że to jest okropnie oklepane i nudne – zauważa Waneska z triumfem.

– Jak wszystkie świąteczne potrawy. Co roku te same, prawda? – mówię.

Malina się śmieje.

– No wiecie, dziewczynki? Przecież to tradycja...

– W takim razie zerwijmy z tradycją i zróbmy jajka artystyczne – proponuje Waneska buntowniczo.

– A wiesz? To jest myśl! – Oczy ciotki błyszczą. – Na przykład jajko *Słoneczniki* van Gogha.

– Albo jajko *Mona Lisa* – mówię.

– Albo jajko *Bitwa pod Grunwaldem* – proponuje Misio. Znam ten obraz i nie wydaje mi się, żeby apetycznie wyglądał na jajku. Nawet na strusim.

– Jajko *Krzyk* Muncha! – wypala nagle Waneska, a ciotka spogląda na nią z niepokojem.

– Znasz ten obraz? – pyta zdziwiona.

– Ostatnio znalazłam go w albumie w szkolnej bibliotece. Mieliśmy tam lekcję – wyjaśnia nasza sąsiadka.

– I podoba ci się? – drąży Malina.

– No, jest trochę straszny... Ale ma w sobie coś takiego... Jakąś siłę... – Waneska troszkę się plączę, a ja postanawiam sprawdzić, o co chodzi z tym *Krzykiem*, bo nigdy go nie widziałam.

– A jajko DAMA Z SZOPEM?

– pyta Mania.

– Masz na myśli *Damę z gronostajem*? – prostuję.

– Nie. – Mania twardo trzyma się swojej wersji. – Zamiast gronostaja jest szop. A dama może zostać.

W bibliotece jest sporo osób i na początek czytamy fragment *Dzieci z Bullerbyn*. Na pewno go znacie – ten o świętach i jajkach, jakie bohaterowie dostali w prezencie. Ich pisanki były po prostu kolorowe – żółte, czerwone i zielone. A jajko z cukierkami w środku, to należące do Lisy, było srebrne i całe w kwiatuszki. Też chciałabym takie dostać.

Mam nadzieję, że mama w ferworze zakupów nie zapomni o czekoladowych jajkach i zajączkach do ukrycia w ogrodzie.

Nie wiem, czy przypominacie sobie, co Alina wyprawiała podczas przygotowań do świąt Bożego Narodzenia. Teraz jest bardzo podobnie. Z tą tylko różnicą, że nasza lodówka zawiera niezliczone tekturowe pudełka z jajkami i obawiam się, że na inne produkty nie starczy miejsca.

Kiedy kończy się czytanie, idziemy do drugiej sali, gdzie przygotowano wszystko, czego potrzeba do ozdabiania jajek.

– To oszustwo! – syczy Misio na widok jaj leżących na stolikach. – One wcale nie są strusie!

Ciotka stuka paznokciem w skorupkę.

– To gliniane jajka. Kto wie, czy nie lepsze od strusich. Na pewno wygodnie będzie się na nich malowało artystycznie – uspokaja synka.

– Czy zniosła je gliniana kura? – pyta natychmiast Mania i Misio trochę się rozchmurza. Myślę, że na sztucznym jajku będzie mógł spokojnie malować tę swoją *Bitwę pod Grunwaldem*, bo prawdziwe by tego nie zniosło. Jestem pewna.

Zabieramy się do pracy z ochotą, ale nie jest to wcale takie proste i nasze malarskie próby wypadają dosyć blado… To znaczy, ściśle rzecz biorąc – raczej zbyt kolorowo. Moja *Mona Lisa* tworzy bezkształtną barwną plamę, *Dama z szopem* jest nie do rozpoznania, a *Bitwa pod Grunwaldem* w niczym nie przypomina ani bitwy, ani Grunwaldu.

Za to Klaudiusz ma piękną pisankę oklejoną zielonymi sznureczkami (muszę przyznać, że wyglądają niemal jak prawdziwe sianko).

W ogóle to maluchom pisanki wyszły naj-ładniej. Klementynka poma-lowała swoją na żółto i na-kleiła na niej zielone listki, a Krzyś ozdobił jajko sztucznym szarym futerkiem tak, że przypomina ono teraz gigantyczną bazię.

– Kizia-mizia – mówi młodszy kuzyn, przytulając policzek do swojego dzieła.

Iga i Leo próbowały namalować na swoich pisankach geometryczne wzory, ale one także trochę się rozmazały i wyglądają teraz mało geometrycznie.

Nawet ciotka Malina średnio poradziła sobie z tematem *Słoneczniki* van Gogha. Patrzy teraz krytycznie na żółte plamy, a potem przenosi wzrok na nasze pisanki.

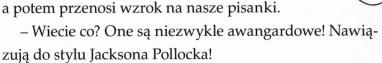

– Wiecie co? One są niezwykle awangardowe! Nawiązują do stylu Jacksona Pollocka!

– Rzeczywiście! – woła z zachwytem pani prowadząca zajęcia.

Spoglądamy na siebie zdziwieni, a Waneska uśmiecha się z dumą. W końcu to był jej pomysł. Bardzo artystyczny!

Po chwili możemy obejrzeć w albumie dzieła pana Pollocka. No rzeczywiście – nasze jajka do złudzenia je przypominają.

– Mam propozycję… – mówi nagle pani prowadząca. – Jeśli się zgodzicie, przekażemy te jajka na aukcję charytatywną. Cały dochód przeznaczamy na pomoc dla powodzian z sąsiedniej gminy. Jest tam sporo potrzebujących.

– Ja się zgadzam! – mówi natychmiast Malina.

– I ja, OCZEWIŚCIE!

Waneska, Iga, Leo i ja także jesteśmy podobnego zdania. Jedynie Misio waha się przez chwilę.

– Tak świetnie wyszedł mi ten Krzyżak w rogu! – wzdycha z żalem.

Jeśli chcecie wiedzieć, to w żadnym rogu nie widzę Krzyżaka. Ani jednego. Zwłaszcza że jajko nie ma przecież rogów...

W końcu kuzyn podejmuje decyzję swojego życia i jajko *Bitwa pod Grunwaldem* trafia na aukcję.

W nagrodę za udział dostajemy po jeszcze jednym jajku i wiecie co? Nikt z nas już nie podejmuje prób malarskich, tylko zgodnie z tradycją pokrywamy gliniane powierzchnie zajączkami, kwiatkami, baziami, kurczakami i napisami „Wesołych świąt" albo „Mokrego dyngusa".

– Te jajka są takie banalne. – Waneska wzrusza ramionami i kręci głową z niesmakiem.

Moim zdaniem wreszcie przypominają pisanki i nie mają kompletnie nic wspólnego z Jacksonem Pollockiem.

Wracamy do domu z naszymi pisankami i jest już bardzo świątecznie. Aż szkoda, że jutro trzeba jechać do szkoły i przedszkola. Wprawdzie ostatni raz, bo zaczynają się ferie, ale i tak szkoda… Mogłaby już być sobota, kiedy pieczemy mazurki i w całym domu pachnie słodko i czekoladowo. Lubię Wielką Sobotę także z powodu święconki. Mania i ja zawsze mamy oddzielne koszyczki, bo kłócimy się, co trzeba do nich włożyć, w jakiej ilości i z której strony. Było tak zawsze, odkąd pamiętam.

Malina odjeżdża do Warszawy, ale umawia się z nami na niedzielne śniadanie, z szukaniem czekoladowych jajek w ogrodzie, rzecz jasna.

– Możemy jeszcze chwileczkę pobiegać? – prosi Mania i Alina zgadza się chętnie, bo ma mnóstwo pracy.

Jak zwykle przekroczyła jakiś kolejny ostateczny termin oddania ilustracji i wydawnictwo zaczyna się niecierpliwić. W związku z tym biedna mama siedzi oddzielona szybą od swojego zielonego królestwa i tęsknym wzrokiem spogląda na łopatę, grabie oraz metalowe pazurki do grzebania w ziemi.

– Tylko jedno trzyma mnie przy życiu – mówi do nas, kiedy wychodzimy. – To myśl o tych wszystkich sadzonkach, które nareszcie będę mogła kupić, jak wypłacą mi honorarium.

– Pomyśl też o tych wszystkich czekoladowych jajkach, które powinnaś nam kupić, jeszcze zanim wypłacą ci honorarium – przypomina mamie moja siostra.

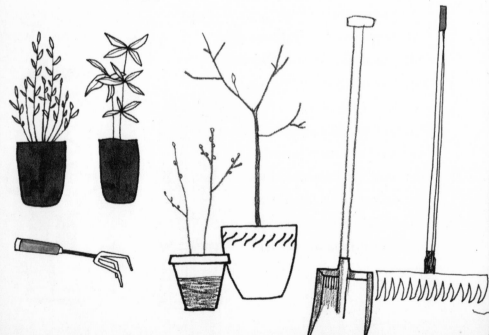

I bardzo dobrze, że to robi. Sprawdzałyśmy w różnych skrytkach, które NIH uważa za ściśle tajne, i nigdzie, absolutnie nigdzie nie ma ani jednego marnego czekoladowego jajka. O królikach nie wspomnę.

Zostawiamy więc mamę w domu i wybiegamy do ogrodu. Jest coraz bardziej kolorowy i przyjemnie wskakuje się na jabłoń, by z góry popatrzeć na kwitnący świat.

– Chyba ktoś cię woła – mówi Mania, nadjeżdżając na swoim rumaku, który składa się z kija od mopa zakończonego ogonem z błyszczącego anielskiego włosa. Z przodu, za pomocą zimowych rajstop w kolorze czerwonym, przywiązany został Fryderyk Szopen Pracz.

– Może ci się zdaje – odpowiadam na odczepnego, bo nie chce mi się złazić z drzewa.

Muffin jest tymczasowo nieobecny i mam trochę spokoju.

– Wio, kobyło! – woła Mania gromkim głosem i galopuje w kierunku furtki. Niestety po chwili wraca.

– Masz tam przyjść – mówi kategorycznym tonem.

– Ale po co?

– Ten chłopiec od UTOPA powiedział, że mam cię koniecznie zawołać.

– Kris.

– Właśnie.

– Może znowu zginął mu pies? – mruczę, zeskakując z gałęzi.

Chłopak rzeczywiście stoi na chodniku, a przed sobą trzyma jakiś spory przedmiot nakryty chustką w kwiaty.

– Cześć, Zosia. – Uśmiecha się na mój widok.

– Cześć, Kris – odpowiadam.

– Prrr, kobyło! – Mania hamuje z impetem, aż szop w rajstopach traci na chwilę przyczepność i obraca się wokół kija jak kurczak na rożnie.

– Mam kłopot... – zaczyna nieporadnie Kris, a ja się zastanawiam, czy aby kłopoty to nie jego specjalność. – Dostałem królika od jednej fanki... – Tu chłopak delikatnie unosi kwiaciasty materiał i naszym oczom ukazuje się klatka z puszystą zawartością. Długie uszy pilnie nasłuchują, o czym mówimy, a nosek marszczy się śmiesznie.

– Łaciaty jak krowa. – Mania natychmiast wygłasza jeden ze swoich słynnych komentarzy, chociaż nikt jej o to nie prosi.

Zwierzę jakby rozumiało, bo protestuje gwałtownie, dając susa w przeciwległy kąt klatki. Wzbija przy tym tuman ze żwirku oraz bobków.

– Jakie śliczne okrągłe bobeczki!

BOBKI

– zachwyca się dzieciak. – Kupy kurczaczków nie są aż tak śliczniutkie – dodaje.

– I właśnie... Problem jest taki, że nie mogę go zatrzymać... – Kris kontynuuje, niezrażony tym, co plecie Mania.

– W ogóle? – pyta moja siostra ze współczuciem.

– W ogóle to nie wiem... Na razie na pewno nie mogę... Wyjeżdżamy na święta do bardzo eleganckiego hotelu i tam nie można zabierać królików. Topi zostanie u dziadków, ale na królika już się nie zgodzili... Zresztą tata powiedział, że za jakiś czas najlepiej zrobić z niego pasztet!

– Czy twój tata nazywa się pan McGregor? – pyta z niepokojem Mania, a ja zasłaniam usta, by Kris nie zauważył, że się uśmiecham.

Jeśli znacie bajki Beatrix Potter, to wiecie, kim byli pan McGregor i jego żona. On ścigał biednego Piotrusia Królika po całym ogrodzie, a ona zrobiła pasztet z ojca Piotrusia.

Kris najwyraźniej nie zna dzieł pani Potter, bo oświadcza poważnie:

– Nie, mój tata nazywa się Zdzisław Nowak.

– To całe szczęście! – Mania oddycha z ulgą. – Czy mogę zerwać trochę trawy i włożyć mu do klatki? – pyta.

– Pewnie – zgadza się Kris.

– Wio, kobyło! Na łąkę! – pada komenda.

– Chciałbyś go u nas zostawić na czas wyjazdu? – pytam.

– A myślisz, że mógłbym? – Kris odpowiada nieśmiałym pytaniem. – Co na to twoi rodzice?

– Na wszelki wypadek nie będę ich w ogóle pytać – mówię niefrasobliwie. – Gdyby była jakaś afera, to mam jeszcze ciotkę, która kocha zwierzęta, i całkiem fajną babcię, która nie odmówi pomocy. Myślę, że lepiej, jak ten królik natychmiast zniknie z oczu twojego taty. Wiesz... Wielkanoc to święto pasztetów. Moja mama upiekła już trzy. Ale żaden nie jest z królika! Na sto procent! – zapewniam na wszelki wypadek.

– Zosiu! Naprawdę bardzo ci dziękuję... Tutaj mam coś dla ciebie... – Kris opiera klatkę na furtce i jedną ręką sięga do kieszeni.

Wyobraźcie sobie, że podaje mi malutką papierową torebkę, w której jest bransoletka z czterolistną koniczynką. Bardzo ładna! Nie wiem dlaczego, ale robię się czerwona i z trudem wykrztuszam jakieś słowa podziękowania. Nigdy jeszcze nie dostałam prezentu od chłopca tak bez żadnej okazji. Krisowi chyba także nieczęsto zdarzają się podobne sytuacje, bo i on się rumieni. Na szczęście Mania wraca z pękiem trawy i sytuacja zostaje uratowana.

– Jak on ma na imię? – pyta moja siostra, wskazując klatkę.

– Kenzo. I jest miniaturką – mówi Kris.

– KĘZO? – dziwi się Mania. – To tak samo jak ulubione perfumy mamy. – Czy z niego robi się perfumy? Może z tych ślicznych bobeczków?

– Mania! – upominam siostrę.

– No co?! Tata nam kiedyś opowiadał, z jakich smrodliwych rzeczy powstają piękne zapachy w buteleczkach. Nawet z WYDZIELANIA piżmowca.

– Wydzieliny – poprawiam.

– Przecież mówię!

– Teraz używa się sztucznego piżma. A piżmowiec to jest w *Muminkach* – zauważam.

– Piżmowiec to może być wszędzie, gdzie okiem nie sięgniesz! – zapewnia Mania, zataczając szeroki krąg swoim wierzchowcem.

Błyszcząca końska kita uderza o pręty klatki i płoszy Kenza. Swoją drogą – z takim imieniem to ten królik nie może być normalny…

– Już miał na imię Kenzo, kiedy go dostałem... Mnie też nie bardzo się podoba – odzywa się Kris, zupełnie jakby czytał w moich myślach.

– Najważniejsze, żeby polubili się z Muffinem – mówię.

– O! To KĘZO tu zostaje?! – Mania zamiera na chwilę w oczekiwaniu na odpowiedź.

– Tak, ale to na razie tajemnica... – mówię szeptem.

– A czym go będziemy karmić? Samą trawą? – odszeptuje Mania.

– Mam w plecaku zapasy – informuje Kris i przekłada klatkę nad furtką.

– To może wejdziesz do środka – proponuję, bo nagle dociera do mnie, że ciągle stoimy po przeciwnych stronach płotu.

– Nie mam czasu, muszę wracać do ćwiczeń. Wymknąłem się tylko na chwilę, by uratować Kenza. U was na pewno nic mu nie grozi, a z tatą i jego pomysłami nigdy nic nie wiadomo...

Chłopak wydobywa z plecaka pokaźną torbę pełną sianka, żwirku i opakowań z ziarnem.

– To powinno wystarczyć do naszego powrotu – mówi. – Jutro wieczorem wyjeżdżamy, więc wesołych świąt! I jeszcze raz wam dziękuję, dziewczyny!

– A kiedy dla nas ZASTĘPUJESZ? – upomina się Mania.

– Na moich imieninach, w maju. Będzie przyjęcie ogrodowe i oczywiście jesteście zaproszone.

– Och, dziękujemy! – mówimy chórem, a kiedy Kris się oddala, Mania spogląda na mnie poważnie.

– Zosia! My nie możemy pójść na to przyjęcie!

– A to niby czemu?

– Bo nie mamy się w co ubrać, OCZEWIŚCIE!

– Do maja coś wykombinujemy – uspokajam siostrę i schylam się po klatkę z królikiem. – Ty weź torbę z jedzeniem, dobrze?

– Aha. Zawiezie ją moja kobyła! – Mania zawiesza plastikową siatkę na kiju i galopuje przede mną. – Dokąd jedziemy? Może na BAJORKĘ? – pyta.

– Może być – zgadzam się, posapując z wysiłku. Jak na miniaturkę to ten cały Kenzo ma niezłą wagę…

Stawiam królika tak, by Marzanna mogła go swobodnie podziwiać, i natychmiast przy klatce materializuje się

Muffin. Zastyga w dziwnej pozie, a potem zaczyna węszyć w powietrzu jak pies. Zdezorientowany Kenzo znowu rzuca się po klatce, wznosząc tuman żwirku, ziarna oraz bobków.

– Czy koty są, MYŚLIWSKIE?

Tak jak ROSÓŁ cioci? – Mania najwyraźniej niepokoi się zaistniałą sytuacją.

– No w pewnym sensie są... Wiesz przecież, że polują na ptaki i na myszy. To się nazywa instynkt łowczy.

– Łowczy to inaczej myśliwy. Pamiętam z jednej bajki... – Mania wzdycha z bólem. – I myślisz, że nasz Muffin okaże się ŁOWCZY na króliki?

– Miejmy nadzieję, że nie. Ale na wszelki wypadek nie będziemy tego sprawdzać. Pamiętaj, Mania, by ci czasem nie przyszło do głowy wypuszczać Kenza z klatki. Obiecujesz?

– OCZEWIŚCIE! Nie chcę, żeby Muffin zrobił z niego pasztet. Ale pan Fryderyk mógłby złożyć KĘZOWI wizytę, prawda?

– Jak chcesz potem do końca życia zeskrobywać z Fryderyka bobki, to proszę bardzo – mówię, wzruszając ramionami.

– A co wy tam macie, dziewczynki? Starą klatkę Serniczka? – słychać nagle głos mamy.

Serniczek był myszką, którą dostałyśmy dawno temu od Maliny. Pozostała po nim tylko klatka. Z sentymentu trzymamy ją do dzisiaj w garażu.

– Nie! Mamy tu twoje ulubione perfumy. KĘZO! – woła Mania, chichocząc.

– Perfumy? – Zaintrygowana NIH zbliża się w naszym kierunku i na widok królika zastyga ze zdumienia.

– Boże! Taki sam jak Bezik! Nawet te łatki! Niemożliwe!

W całym tym zamieszaniu zupełnie zapomniałam, że przecież Alina ilustruje teraz książkę o królikach. Zdaje się, że nosi ona tytuł *Najmilsza norka świata*.

– Uszczypnij mnie, Maniu, prędko! – prosi mama i podciąga rękaw, by młodsza córka mogła jej się dobrać do skóry (żartuję sobie, oczywiście…).

– Ała! Mocno szczypiesz! – piszczy po chwili i dotyka palcem klatki. – Wcale nie znika! – informuje nas z zachwytem, jakbyśmy same tego nie widziały.

– OCZEWIŚCIE! A co ty myślałaś? To jest królik wielkanocny, który się do nas przybłąkał.

– I może się nazywać Bezik – sugeruję podstępnie.

– Bezik-KĘZO? Czemu nie? – Mania szybko zgadza się z moim pomysłem. Chyba rozumie, że trzeba działać błyskawicznie, póki mama nie zacznie zadawać standardowych pytań i nie pojedzie z królikiem do weterynarza (na wszelki wypadek, bo a nuż jest wściekły?).

– Bezik… – powtarza Alina w zadumie.

– Hraumiau – dołącza do niej Muffin.

Wyobraźcie sobie, że już nie węszy i w ogóle nie przejawia żadnych instynktów. Wygląda raczej na psa stróżującego. Takiego dobrego opiekuna mniejszych stworzonek. Co za sielanka!

W końcu mówię mamie całą prawdę, a ona kiwa głową i wcale się nie złości. Może jest chora?

– Jakoś sobie poradzimy, Zosiu. A może Bezik zechce mi pozować? Prawdę mówiąc, brakowało mi kontaktu z żywym królikiem.

„Na to bym nie wpadła!" – myślę i całuję mamę w policzek. Potem biegnę do pokoju, żeby dokładnie przyjrzeć się swojej bransoletce. Naprawdę bardzo mi się podoba. Coraz bardziej!

Przy kolacji Mania mówi niespodziewanie:

– A wiecie, że w przedszkolu mamy owsiki?

– Owsiki?!

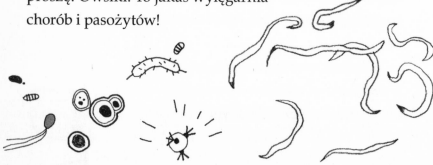

– wykrzykuje NIH z konsternacją. – Dopiero co mieliście rotawirusa! Na Boże Narodzenie były wszy, a teraz proszę! Owsiki! To jakaś wylęgarnia chorób i pasożytów!

– Wylęgają się na stoliku – informuje nas Mania z dumą.
– Mój jest największy!

– Hmm... – mruczy tata. – Z tego, co mi wiadomo, owsiki przebywają raczej wewnątrz niż na zewnątrz...

– Zależy kiedy! – przerywa mu NIH. Jest zdenerwowana, jak zawsze wtedy, gdy okoliczności zmuszają ją do stawienia czoła bakteriom, zarazkom, wirusom, grzybom i innym.

– Chciałem tylko powiedzieć, że nie hoduje się ich na stolikach... – tacie udaje się dokończyć zdanie.

– A nasze się hoduje. Bo to są owsiki dla baranka – oświadcza Mania pogodnie.

– Dla baranka?! – NIH najwyraźniej nic z tego nie rozumie.

– No, zielone owsiki w pudełeczkach po jogurcie. Sama mi dałaś te pudełeczka. Nie pamiętasz? Nasypaliśmy ziemi i posialiśmy nasionka...

– A... – Do Aliny powoli zaczyna coś docierać.

– Ale pani nic nie mówiła, że baranek się pochoruje po takim owsiku.

– Owsie! – prostuje mama gwałtownie.

– OCZEWIŚCIE zawsze wiecie wszystko lepiej niż ja! A jeżeli to jest malutki owies? To co? Przecież na bobeczki Bezika-KĘZA nikt nie mówi „boby"!

9. ZSZOPOWANA ŚWIĘCONKA

W końcu nadchodzi jednak sobota zwana Wielką.

– Czy WIĘKSZA sobota jest specjalnie po to, żeby wszyscy ludzie zdążyli zanieść swoje święconki do kościoła? – pyta Mania, gdy tylko wstajemy

– Nie tylko – odpowiadam, ziewając.

Dzisiejszej nocy Bezik spał u mnie, chociaż powiem wam szczerze, że moim zdaniem on nie zmrużył oka nawet na chwilę. Cały czas rzucał się po klatce z jednej strony na drugą, a świeży żwirek, jaki mu wsypałyśmy, wydawał złowieszcze dźwięki.

– Ale mnie chodzi o to, czy ona specjalnie jest większa, o taaaka! – Mania zatacza rękami szerokie koło.

– Nie! Jest normalna, jak każdy inny dzień. I zaczyna się od mycia zębów – mruczę niechętnie.

W kuchni króluje NIH. Jest tak zajęta mieszaniem, krojeniem, dosypywaniem, nalewaniem i próbowaniem, że w ogóle nas nie zauważa.

– Czy możemy dostać jakieś śniadanko? – Mania pociąga Alinę za fartuszek.

– Śniadanko? – Zdziwienie naszej matki jest wielkie niczym sobota! Zupełnie jakbyśmy prosiły o ucztę z czternastu dań.

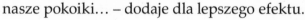

– Musimy mieć siłę, by zapakować koszyczki – tłumaczy dzieciak chytrze. – I posprzątać nasze pokoiki… – dodaje dla lepszego efektu.

– Prawda! Musicie jeszcze dokładnie sprzątnąć u siebie… – Mama ożywia się nagle.

– My nakryjemy do stołu – proponuje Mania wielkodusznie, ale jak się okazuje, zupełnie niepotrzebnie.

Wyobraźcie sobie, że na naszym blacie (wcale nie takim małym) nie ma nawet centymetra wolnego miejsca! Wszędzie piętrzą się jakieś produkty, upieczone baby wielka-

nocne, paczuszki, torebki, gałązki bukszpanu, koszyczki. No i jajka. Ale niestety zwykłe, a nie czekoladowe…

Alina robi nam w tym bałaganie trochę miejsca, przesuwając rzeczy na bok, gdzie tworzą niepokojąco wysoki stos. Dobrze, że chociaż jajka nie leżą na samym szczycie.

Zjadamy w pośpiechu tosty z serem, a na deser z powidłami. Kakao jest moim zdaniem jakby słonawe, ale nic nie mówię, bo w końcu jakie to ma znaczenie?

– Tylko się nie kłóćcie! – upomina NIH.

– OCZEWIŚCIE! Przecież jesteśmy już duże! – oburza się Mania, po czym natychmiast zabiera mi sprzed nosa wszystkie żółte piórka na druciku, którymi tak ładnie można owinąć całą wiklinową rączkę.

No trudno… Użyję do tego zielonej wstążeczki.

– Ja nie chcę kabanosa do mojej święconki! – protestuje Mania po chwili.

– Ale o co ci chodzi? Przecież on dobrze wygląda. – Wzruszam ramionami.

– Wygląda jak babcia Zelmer po wczasach **CHUDNĄCYCH!** Nie podoba mi się! Chcę grubą kiełbasę!

– Mania!

– Zosia!

– Dziewczynki! Przecież prosiłam… – Alina odrywa się od piekarnika i znajduje rozwiązanie. Podaje Mani kawałek suchej kiełbasy (grubszej od kabanosa).

– A nie ma salami?

– Nie ma! – mówi NIH stanowczym tonem. – To jest bardzo dobra kiełbasa.

– Może być… Ale czegoś mi tu jeszcze brakuje… – Dzieciak spogląda na swój koszyk ze wszystkich stron, po czym jednym ruchem robi w nim miejsce i wsadza tam Fryderyka Szopena Pracza. Jego mordka sterczy malowniczo wśród żółtych piórek, jajek, kawałków bułki i suchej kiełbasy średniej grubości.

– To już przesada! – Naprawdę muszę zaprotestować. Jeśli chodzi o obecność zwierząt w święconce, to u mnie siedzi tylko cukrowy baranek i uważam, że to wystarczy. – Powiedzcie sami, jaki jest związek między szopem a Wielkanocą? Moim zdaniem – żaden!

– Pan Fryderyk właśnie o tym marzył! – zapewnia mnie gorąco Mania, zawiązując na szyi pluszaka zieloną kokardkę.

„Chciałabym widzieć minę księdza, który będzie święcił ten koszyczek" – myślę nieco złośliwie. Ale z drugiej strony – święconek będzie przecież tyle, że nikt nie zwróci uwagi na obecność Fryderyka. Jest w neutralnym kolorze, więc nie rzuca się specjalnie w oczy.

Nie myślcie sobie jednak, że na tym kończy się pomysłowość mojej siostry. W pewnej chwili Mania przynosi różowe, puchate niemowlęce skarpetki, które nosiła bardzo dawno temu, i naciąga je na uszy szopa.

– Teraz bardziej przypominasz królika, panie Fryderyku – mówi, przyglądając się swemu dziełu. – I już nikt nie powinien się dziwić, że siedzisz sobie grzecznie w koszyczku.

Czy ja wiem? Chyba powinnam się cieszyć, że Mania nie wpadła na pomysł, by poświęcić Bezika. Wyobrażacie sobie, co by było, gdyby nagle wyskoczył na kościelny stół ze święconkami i zaczął strzelać bobkami na wszystkie strony?!

Do kościoła idziemy z tatą i całe szczęście, bo gdy się okazuje, że koszyk z Fryderykiem zniknął, psycholog Lucjusz Wierzbowski zachowuje zimną krew.

– Spokojnie... Zaraz się znajdzie... Ktoś wziął go przez pomyłkę, bo one wszystkie są takie podobne... – tłumaczy, sięgając po jeden jedyny, który został na stole.

– Ale to nie mój! – Mania jest bliska płaczu i wcale jej się nie dziwię. W końcu nie wiadomo przecież, w czyje ręce trafił uszaty Fryderyk.

Opuszczamy kościół z cudzą święconką i zatrzymujemy się nieco z boku, czekając na osobę, która uprowadziła szopa.

NIM ZA CHMURĘ SŁOŃCE ZAJDZIE, NIECH ŚWIĘCONKA SIĘ ODNAJDZIE!

– powtarzam w myślach.

Nie mija dziesięć minut, kiedy na horyzoncie pojawia się zdenerwowana babcia w fioletowej chustce na głowie. Do piersi przytula koszyk Mani (różowe uszy i żółte piórka nie pozostawiają żadnych wątpliwości – widać je z daleka). Uszczęśliwiony dzieciak rzuca się biegiem w kierunku staruszki.

– A to ci dopiero! – woła kobieta i śmieje się serdecznie.

– Stara a głupia! A i ślepa na dokładkę! Żeby tak dzieciaczynie królika podprowadzić! Wstyd, babo!

Tata też się śmieje, więc w końcu ja i Mania uśmiechamy się także, a miła pani w chustce wyciąga z kieszeni po czekoladowym zajączku dla każdej z nas.

– Wesołych świąt! – mówi i odbiera z rąk taty swój koszyczek.

– Wesołych świąt! – odpowiadamy chórem, a Mania wspina się na palce i cmoka babcię w policzek.

– Pan Fryderyk jest chyba bardzo ZSZOPOWANY zaginięciem – odzywa się Mania, kiedy wracamy do domu. – Myślisz, tatusiu, żeby mu podać jakieś lekarstwo?

– Może trochę koniczyny na uspokojenie – śmieje się tata. – To będzie świetnie korespondować z jego króliczymi uszami – dodaje.

Nie sądzicie, że te święta już są wesołe? Chociaż wcale się jeszcze nie zaczęły...

Po powrocie robimy z Manią nasze mazurki na waflach i na kruchym cieście. Ja najbardziej lubię ozdabianie. Przyjemnie układać na wierzchu połówki migdałów, żurawinę i morele, kreślić esy-floresy z lukru, posypywać ciasto wiórkami kokosowymi i czekoladowymi kulkami.

W czasie tych relaksujących czynności dochodzi jednak do nieprzyjemnego incydentu, ponieważ mamie przytrafia się mały kryzys. Podczas ubijania śmietany mikserem NIH zamyśla się na chwilę i zamiast śnieżnej pianki uzyskuje grudowate masło.

– Moja bita śmietana! Och! Och! – Biedaczka wybucha płaczem, a my biegniemy ją przytulać i pocieszać.

– Ach, Alu, Alu… – Tata kiwa głową. – Ty traktujesz te święta zbyt ambicjonalnie… Więcej luzu, kochanie…

– Nie mów do mnie jak jakiś psycholog! – złości się NIH.

– A jak ma do ciebie mówić? Jak MĘŻOLOG? – pyta Mania i mama w końcu parska śmiechem.

Po południu udaje mi się spędzić kilka minut na drzewie (tym razem w towarzystwie Muffina) i napisać parę słów w zeszycie. Niestety nie trwa to zbyt długo, ponieważ przybiega Mania.

– Zosia! Musisz koniecznie przyjść na wielkanocną kolację do pana Pracza! – woła.

Niespecjalnie o tym marzę, ale co robić? Zrywam więc trzy dorodne mlecze w kącie ogrodu i niosę je gospodarzowi przyjęcia w prezencie.

– Niespodzianka! –
woła Mania, bardzo dokładnie
zamykając drzwi do swojego pokoju.

Szopa Fryderyka przystrojona jest hojnie gałązkami
bukszpanu, a całe pluszakowe towarzystwo (oraz AG-
MIRAŁ PYPEK w swoim słynnym MOTYLEUM) siedzi
na podłodze wokół rozłożonej na środku koronkowej
serwety.

Mają tam rozstawiony serwis dla lalek, a na talerzykach kawałki suchych wafli, które zostały z naszych ma-
zurków. Do tego trochę moreli, migdałów i kilka dakty-
li. W plastikowej miseczce na honorowym miejscu leży
stosik czekoladowych jajeczek w kolorowych sreberkach.

– Teraz podzielimy się jajkiem – mówi uroczyście Mania i podaje każdemu jedno.

Nagle spod łóżka mojej siostry dobiega jakiś dziwny
dźwięk.

– Czyżbyś jeszcze kogoś zaprosiła? – pytam z niepokojem.

– Nie. Może to Bezik-KĘZO skrobie pazurem – odpowiada niefrasobliwie.

– Jak to? Pod twoim łóżkiem? – dziwię się, bo przecież klatka stoi w moim pokoju. A przynajmniej była tam, kiedy wychodziłam na dwór. Królik najspokojniej w świecie chrupał wtedy marchewkę.

– Bezik-KĘZO też został zaproszony. Twarożek i Szopen Pracz po niego poszli. Nie myślisz chyba, że w tej szopie trzyma się gości w klatkach? I to podczas wielkanocnej kolacji!

– Wypuściłaś Bezika?

– Patrzę na Manię z przerażeniem.

– I co? Przecież od tego się nie umiera, kiedy jest się królikiem. On potrzebuje więcej kicania.

– Skąd wiesz?

– Twarożek mi powiedział!

– Skoro to Twarożek podejmuje decyzje w tym domu, niech teraz sam złapie Bezika i zaniesie go do klatki!

– No wiesz?! Chyba wypadałoby mu pomóc! – Mania oburza się na moje słowa.

Domyślacie się zapewne, co dzieje się dalej. Królik najwyraźniej pragnie spędzić całe święta na kicaniu, bo żadna siła nie jest w stanie wyciągnąć go spod łóżka. Po kilkunastu próbach udaje nam się w końcu zarzucić na niego siatkę na motyle.

– Nie wiedziałam, że to jest też siatka na króliki – mówi Mania z podziwem.

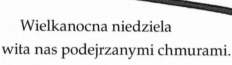

Wielkanocna niedziela wita nas podejrzanymi chmurami.

– Dzisiaj chyba nieźle popada… – mówi tata, delektując się swoją kawą.

– Szkoda, że to nie lany poniedziałek – zauważam smętnie.

– Czy czekolada rozpuszcza się na deszczu? – pyta Mania.

– O, nie! – woła NIH, łapiąc się za głowę.

– Nie kupiłaś? Ani jednego maciupkiego czekoladowego króliczka? – Mania zamiera w oczekiwaniu na odpowiedź.

– Kupiłam!

– Uff… – Mania wzdycha z ulgą.

– Wcale nie uff! Za nic w świecie nie pamiętam, gdzie schowałam te przeklęte słodycze!

Mama z impetem siada na krześle. Ma wszystkiego dość.

– Nic się nie martw. My zaraz znajdziemy te pyszności, OCZEWIŚCIE – pociesza ją Mania.

Jeśli dobrze rozumiem, w tym roku mamy szukać czekoladowych jajek i zajęcy dwukrotnie. Najpierw znajdziemy je tam, gdzie zgubiły się przypadkiem, a potem tam, gdzie zgubiono je celowo. Co o tym myślicie? Bo ja uważam, że to zabawa dobra tylko dla przedszkolaków.

Wcale nie tak łatwo znaleźć coś, co Alina ukryła przed dziećmi. Tata dzielnie próbuje nam pomagać, ale pogarsza tylko sprawę, mówiąc, że skoczy na najbliższą stację benzynową po jakieś jajka z niespodzianką (wszystkie sklepy są dzisiaj zamknięte na cztery spusty).

– Chyba żartujesz! – obrusza się Alina.

– To NIEKOLOGICZNE kupować na stacji BEZYNOWEJ. Tam jedzenie jest dobre tylko dla samochodów! – protestuje dzieciak.

Ja nic nie mówię, tylko powtarzam sobie w myślach wolniutko:

NIECH JUŻ NAWET DESZCZ DZIŚ PADA,
GDY SIĘ ZNAJDZIE CZEKOLADA!

Moje ZAKLEŃSTWA są niezawodne, więc po jakichś piętnastu minutach nieznana siła prowadzi mnie schodkami na dół. Docieram do pralki i otwieram ją, a tam, na dnie metalowego bębna, leży cały stos wielkanocnych wyrobów czekoladowych.

– Naprawdę chciałaś je wyprać przed
użyciem? Żeby były bardziej IGIENICZNE?
– dziwi się Mania, a tata tak się śmieje, że w końcu
oblewa sobie koszulę kawą. I nie muszę dodawać, że jest
to jego najelegantsza świąteczna koszula…

NIH nawet się specjalnie nie złości i zaczyna się ubie-
rać, żeby wyjść i ukryć słodycze w ogrodzie.

– Może lepiej tego nie rób – prosi Mania.

– A to czemu?

– Bo jak znowu zapomnisz, gdzie je schowałaś, i nigdy ich nie znajdziemy? To co wtedy będzie? Całe święta na nic!

– Ja to zrobię! – Tata zgłasza się na
ochotnika i obie z Manią oddychamy
z ulgą. Kiedy do akcji wkracza psycholog,
możemy spokojnie pomagać mamie w na-
krywaniu stołu.

– Tylko żebyś się czasem nie SCHĘCIŁ!
– ostrzega Mania i szybko dodaje: – Ja cię
na pewno poczęstuję, jak już znajdę swoje
króliki.

– Bądź spokojna, Maniu! – odpowiada
tata. – Ja sobie ostrzę zęby na twojego mazurka.

– Muffina czy Bezika-KĘZA? – pyta moja
siostra, która wykonała na swoich ciastach

portrety obydwu zwierzaków przy użyciu płatków migdałowych i wiórków czekoladowych.

– Na jednego i drugiego! – woła Lucjusz, znikając za drzwiami.

Kiedy czekolada jest już dobrze ukryta, a na stole znajduje się absolutnie wszystko, co powinno się na nim znaleźć – wymykam się do ogrodu.

Nie jest dziś zbyt ciepło. Krokusy w ogóle nie otworzyły pąków, bo przecież nie ma słońca.

Gałązki brzozy delikatnie szumią na wietrze, powiewając zieloną woalką błyszczących listków.

Czy zauważyliście już, że każda wiosna jest jak szkło powiększające? Można dzięki niej zobaczyć każdą najmniejszą roślinną drobinkę, jedyną i najpiękniejszą w swoim rodzaju. Na przykład źdźbło trawy odważnie przebijające się przez ostatni śnieg – niezłomne i najzieleńsze na świecie. Albo malutki dzielny listek na gołej gałęzi. I setki chwastów, które są koronkowe, delikatne, puszyste, zwinięte, nastroszone, a każdy z nich z wielką energią wyrywa się ku słońcu. To właśnie wiosenne szkło powiększające sprawia, że możemy podziwiać urodę wielu niepozornych roślin. Potem mijamy je albo nawet usuwamy z ogrodu, bo zabierają miejsce cennym okazom na rabatkach. Nawet liście na drzewach z czasem nam powszednieją i nie zachwycają już tak jak te pierwsze zielone woalki. Dopiero jesiennymi kolorami znowu przykuwają naszą uwagę.

Wiosna pozwala zobaczyć to, czego nie dostrzegamy przez cały rok – że każda roślina to prawdziwa królowa. Na swój sposób piękna, dumna i bardzo silna.

Powiem wam, że mama pozwala rosnąć części szczególnie wytrwałych chwastów. Na przykład takim jak te drobne białe kwiatuszki na cienkich łodyżkach, które wysiały się pomiędzy płytami tarasu.

– Chcą żyć na przekór wszystkim przeciwnościom i trochę wbrew logice, więc nie możemy im w tym przeszkadzać… – powiedziała z zachwytem, gdy odkryłyśmy kiełkujące roślinki.

Z okazji niedzieli wielkanocnej mamy dziś prawdziwą paradę KUWECIARZY. Przemykają – jeden za drugim – w kierunku kuwety pod krzaczorem, a Muffin pilnuje porządku, poszczekując po kociemu. Od czasu do czasu jakiś komentarz pada z dachu garażu, skąd Zdaszek pil-

nie śledzi przebieg wypadków. „Całe szczęście, że nie ma GRZEKOTNIKA, bo byłoby już za dużo atrakcji" – myślę, zeskakując z drzewa.

Coś mi się zdaje, że przed domem zatrzymał się przed chwilą jakiś samochód...

Rufusa słychać już z daleka, ale wiecie co? Nawet mnie to cieszy. Miło tak się spotkać w komplecie. Poza tym on, jako słynny pies tropiący, może być użyteczny podczas czekoladowych poszukiwań...

Kiedy biegnę się przywitać, wydaje mi się, że z nieba spada jakiś pyłek, a potem drugi i trzeci... Na topole to jeszcze za wcześnie... Zadzieram głowę w górę i śledzę lot białego czegoś. Osiada na rękawie mojej kurtki i niestety – nie mam już żadnych wątpliwości! To najprawdziwszy śnieg, który wkrótce zamienia się w wielką śnieżycę!

Myślicie, że to moja wina? Ale przecież w ZAKLEŃSTWIE była mowa jedynie o deszczu...

Gdy kończymy śniadanie wielkanocne, nasz ogród przypomina ilustrację do baśni *Królowa Śniegu*!

– I co teraz? – pyta Mania z konsternacją.

– Trzeba brać łopaty i odkopać jajka – mówi tata, a ciocia, wujek i mama pokładają się ze śmiechu.

– Albo ulepić je ze śniegu – proponuje żartobliwie Misio.

– Kisio baławana!

– upomina się młodszy kuzyn.

– Nie, Krzysiu! Dzisiaj lepimy tylko króliki. I ich bielutkie bobeczki, OCZE-WIŚCIE! – prostuje Mania i natychmiast pyta, gdzie jest jej zimowy kombinezon.

Nie ma rady! NIH wyciąga wielkie pudło z ciepłymi rzeczami i wspólnymi siłami kompletujemy przypadkowe zestawy dla całej naszej czwórki. Wyglądamy trochę głupawo, ale najważniejsze, że nie przemokniemy od razu i będziemy mogli szukać słodyczy aż do skutku.

Powiem wam szczerze, że wygrzebywanie jajek z lodowatego śniegu to nie jest moje ulubione zajęcie! Aż mi się wierzyć nie chce, że jeszcze nie tak dawno siedziałam na jabłoni i rozmyślałam o wiośnie. Wszystkie zielone odro-

binki, o których opowiadałam, leżą teraz pod kołderką
ze śniegu, a na mojej gałęzi utworzyła się gruba warstwa
tego paskudztwa.

Nawet u Marzanny, na BAJORCE, śniegu pod dostat-
kiem. Zasypał niemal całą palmę, a egzotyczne owoce
z plasteliny apetycznie pokryły się bitą śmietaną.

– Czy zima nigdy o nas nie zapomni? – mówię do Maliny z rozpaczą.

– To jakieś nieporozumienie! – zapewnia mnie ciotka i strząsa śnieg ze zdumionych gałązek forsycji. – I pomyśleć, że planowałam dzisiaj wiosenny spacer ze zdjęciami. Niedługo mija chyba termin tego waszego konkursu, prawda?

       – Tak. Zaraz po świątecznych feriach.

       – Zrobiłyście już swoje prace?

       – Nie do końca... Teksty są już napisane... I do tego mamy kilka fotografii...

– Brawo! Nie marnujecie czasu, dziewczyny... – Malina chce coś jeszcze dodać, ale w tym momencie nad płotem Penelopek pojawia się głowa Waneski!

– Wesołych świąt! – Sąsiadka macha do nas.

– Tylko których?! – odkrzykuje Malina ze śmiechem.

– Jednych i drugich! – woła Waneska. – Może zrobimy sobie bitwę na śnieżki? – proponuje.

– Dobry pomysł! – zabiera głos Misio, bardzo zadowolony z takiego obrotu spraw.

Wiem, że trudno wam w to pewnie uwierzyć, ale w naszym ogrodzie, przy Kociej 5, rozgrywa się typowo zimowy mecz. Po trzykrotnym remisie ekipa zza płotu zostaje zaproszona na mazurki.

Wszyscy chętnie wracają, jedynie Rufus marudzi i popiskuje, drapiąc łapami w śniegu pod płotem.

– O co chodzi temu ROSOŁOWI? – pyta Mania.

Niestety nikt nie zna odpowiedzi na jej pytanie i kiedy stanowcze nawoływania nic nie dają, Malina bierze smycz i idzie po psa.

Teraz się zdziwicie, bo stary terier okazuje się jednak psem tropiącym! Odnajduje jedno zagubione czekoladowe jajko w nieco przemokniętym opakowaniu.

Odświeżony instynkt łowiecki daje o sobie znać także w inny sposób. Do Rufusa dociera nagle, że w domu jest jeszcze ktoś do wytropienia. Biedny Bezik-KĘZO opuścił bowiem swoje bezpieczne stanowisko w moim pokoju i obecnie znajduje się w salonie. Wszystko przez Manię, która chciała, by goście podziwiali podobieństwo jej mazurka do pierwowzoru.

Rufus niczym torpeda rzuca się w kierunku klatki, przewracając po drodze krzesło i Krzysia.

Na szczęście tata jest szybszy i Bezik nie ląduje na podłodze, tylko zostaje uniesiony. Nie macie pojęcia, jak wysoko skacze Rufus, by go dosięgnąć! Nic z tego!

Królik także skacze, a żwirek i bobki sypią się na wszystkie strony. Niewykluczone, że nawet na pięknie przystrojony świąteczny stół…

– Mama! SPĘDZI! – oznajmia nagle Krzysio i zaczyna się gwałtownie drapać.

– Zupełnie zapomniałam! – woła Malina. – Przecież ty jesteś uczulony na sierść królika!

– Och! Nic o tym nie wspominałaś! – NIH od razu się niepokoi.

– A po co? Przecież nie mieliście królika! – Malina wzrusza ramionami.

– Nie martw się, ciociu. Bezik-KĘZO nie jest jadowity. A poza tym możemy go zdepilować, OCZEWIŚCIE!

Nie pytajcie mnie, skąd w głowie mojej siostry biorą się takie pomysły. Wszyscy wybuchają śmiechem, nawet mama, a królik zostaje natychmiast wyniesiony do sypialni rodziców i zamknięty tam na cztery spusty. Dzięki temu mamy też z głowy Rufusa, który od tej chwili waruje pod sypialnią, od czasu do czasu skrobiąc w drzwi.

Zjadamy mazurki, malutkie babeczki, paschę i sernik, a do tego nasze czekoladowe skarby wygrzebane ze śniegu. Częstujemy nimi także Penelopki.

Jest naprawdę bardzo miło, świątecznie i czarodziejsko, a za oknem pada gęsty wiosenny śnieg.

– Pamiętacie nasze stosowne pieśni? Te dla MARZENY? – pyta nagle Mania.

– HOP DZIŚ, DZIŚ, DANA, DANA?

– upewniam się.

– Aha! Tak sobie pomyślałam, że może teraz zaśpiewamy jakąś stosowną pieśń.

– Chyba najstosowniejsza to będzie kolęda – burczy Misio znad mazurka.

Naprawdę dziwię się, że nie ma przy sobie żadnych *Trzystu trzydziestu trzech zwyczajów wielkanocnych*…

– Raczej jakaś ALLELEJA! – sugeruje Mania, a NIH poprawia błyskawicznie:

– Chciałaś powiedzieć „alleluja".

– Nie chciałam, tylko powiedziałam! – oburza się Mania. – Jak są kolędy, to muszą być też ALLELEJE!

Reszta popołudnia upływa nam na układaniu ALLE-LEI, co wcale nie jest takie proste. W końcu udaje nam się opracować pieśń, do której Penelopka i Laurka natychmiast dołączają skromny układ taneczny o charakterze baletowym. Waneska z godnością odcina się od działalności artystycznej sióstr.

– Ale one są głupie! Żebyś widziała ich fotografie na konkurs! Żenada! – szepcze mi do ucha.

– A ty masz gotowego Sventona w Łomiankach? – pytam.

– A ty Pippi?

Patrzymy na siebie i obie kiwamy głowami.

– Pokażesz? – pyta Waneska.

– Pewnie! – odpowiadam i obie wymykamy się do mojego pokoju, zostawiając przy stole rozśpiewane towarzystwo. Chcecie wiedzieć, co śpiewają? ALLELEJĘ, OCZEWIŚCIE!

– ALLE PADA, NIECH PRZESTANIE,
NIECH NAM WIOSNA JUŻ NASTANIE,
ALLELEJĘ ZAŚPIEWAJMY,
NA DESZCZ GRZECZNIE
POCZEKAJMY,
ŻEBY PONIEDZIAŁEK LANY
NIE BYŁ BARDZO ZSZOPOWANY!

KONIEC

Nie przegap:

Cześć! Mam na imię Zosia. Okropnie, prawda? Jeśli chodzi o nazwisko, to też mogłoby być lepiej. Wierzbowska brzmi nieźle, ale jest na W. Każdy uczeń na świecie wam to powie, że nie ma gorszej rzeczy, niż wylądować na początku albo na końcu listy. Ale dosyć tego! Nie jestem przecież jakąś okropną pesymistką. Specjalnie zaczęłam od najgorszych rzeczy, żeby jak najszybciej mieć je za sobą. No, może jeszcze powinnam wspomnieć o mojej młodszej siostrze Mani. Całkowita porażka! Choć muszę przyznać, że to dzięki Mani ruszyła lawina niecodziennych wypadków w naszej rodzinie. A może to przez psią kupę…? W każdym razie właśnie dlatego, pisząc te słowa, siedzę na jabłoni rosnącej w ogrodzie naszego nowego domu przy ulicy Kociej 5.

Witajcie! To znowu ja, Zosia z ulicy Kociej. Siedzę sobie jak zwykle na moim ulubionym drzewie, w naszym ogrodzie, w którym powoli czuć już nadchodzącą jesień. Nawet nieźle to wygląda – te żółknące liście i trawy... No i kilka rumianych jabłek, dyndających mi nad głową. Nadejście jesieni zapowiadałoby się całkiem miło, gdyby nie nowy rok szkolny, który właśnie o tej porze spada na ludzi jak grom z jasnego nieba. Niby wiadomo, że rozpoczęcie (lub też zapadnięcie) ZMROKU szkolnego musi nadejść nieuchronnie, ale mimo wszystko jest to jednak szok. Przynajmniej dla mnie. Szkoda długich wieczorów i poranków, picia kakao i gapienia się w okno, i słuchania świerszczy na tarasie, i liczenia gwiazd. Teraz życie ogranicza się do szkoły i domu. No dobra... Wiem, że trochę przesadzam, ale mam prawo...

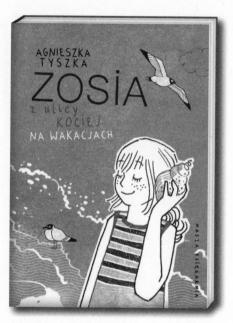

Cześć! To ja, Zosia z ulicy Kociej. Mam nadzieję, że trochę się za mną stęskniliście... Ja jestem nieco stęskniona – za wami oczywiście i jeszcze za pisaniem, i siedzeniem na jabłoni... Tak to bywa, gdy człowiek zbyt długo choruje i każą mu leżeć w łóżku. Właśnie rozpoczęły się wakacje... Wysoka gorączka i wysoka NIEŻYWOŚĆ (to słówko wymyślone przez moją siostrę) zatrzymały nas w domu. Nawet ogród wydawał się zamorską krainą, gdy leżałyśmy w naszych łóżkach. I wiało nudą tak, że aż robiły się od tego przeciągi. Przenudne przeciągi. Żadnego towarzystwa, bo nikt nie przyjdzie w odwiedziny do zadżumionych. No, przesadzam... Ospa to nie dżuma, ale też jest zakaźna. I to jeszcze jak!

To ja, Zosia. Ja o was nie zapomniałam. I mam nadzieję, że wy o mnie też nie. Lubicie zimę? Zimą to dopiero są niespodzianki! Na przykład szron na wszystkich gałązkach, badylach i kociej kuwecie. Taki szron zmienia ogród w baśniową krainę, naprawdę. Poza tym kto powiedział, że w grudniu nie da się wejść na ulubione drzewo i siedzieć tam sobie z zeszytem? Świat widziany z takiej zimowej jabłoni wygląda zupełnie inaczej.

Polecamy!

Jak długą smycz można upleść z miłości? Czy warto być fizią kartoflanką? I czemu tak wiele zależy od jednej czekoladowej krówki?

W *Sezonie na zielone kasztany* aż iskrzy od ważnych pytań, napięć i zdumień. Iga, Kaśka, Paweł, Lenka i pozostali dopiero odkrywają swój świat, który nie zawsze jest kolorowy... Na szczęście w porze dojrzewania kasztanów, gdy zawodzi przyjaźń, gdy budzi się pierwsza miłość, a samotność aż boli, można znaleźć w sobie dość siły, by walczyć o własną rację. A także dość odwagi, żeby przyznać ją innym…

Jeśli się ich boisz, musisz trzymać wieczorem okno zamknięte, zwłaszcza gdy światło jest zapalone. Ale chyba coś stracisz. Prawdę o lipcowej nocy.

Nie wiadomo, czemu Malwina nazywa się Malwina. Może z powodu różowych malw, które przyśniły się kiedyś jej mamie, projektantce ogrodów? A może dostała imię po tacie, tajemniczym Melvinie Blue z Nowego Jorku, który nawet nie wie, że ma córkę…? Myśli Malwiny, spędzającej lato w sennej i z pozoru zwyczajnej miejscowości, zaprząta jednak nie tylko nieobecny ojciec. Są jeszcze dziwni mieszkańcy miasteczka – kamieniarz rzeźbiący smutne anioły, córka cyrkowców w męskim kapeluszu, pisarka, która nigdy nie opuszcza domu… I oczywiście nocne motyle. Czy da się je pokochać?

Wydawnictwo NASZA KSIĘGARNIA Sp. z o.o.
02-868 Warszawa, ul. Sarabandy 24c
tel. 22 643 93 89, 22 331 91 49,
faks 22 643 70 28
e-mail: naszaksiegarnia@nk.com.pl

Dział Handlowy:
tel. 22 331 91 55, tel./faks 22 643 64 42
Sprzedaż wysyłkowa: tel. 22 641 56 32
e-mail: sklep.wysylkowy@nk.com.pl   www.nk.com.pl

Książka została wydrukowana na papierze
Ecco-Book Cream 70 g/m² wol. 2,0.
MAP Polska

Redaktor prowadzący *Joanna Wajs, Katarzyna Piętka*
Opieka redakcyjna *Joanna Kończak*
Korekta *Ewa Mościcka*
Redaktor techniczny, DTP *Agnieszka Czubaszek-Matulka*

ISBN 978-83-10-12513-2

PRINTED IN POLAND

Wydawnictwo „Nasza Księgarnia", Warszawa 2014 r.
Wydanie pierwsze
Druk: EDICA Sp. z o.o., Poznań